Roman Krznaric, além de um dos autores, é também pensador cultural e membro fundador da The School of Life, onde oferece cursos sobre trabalho. Foi nomeado pelo jornal *Observer* um dos mais importantes pensadores sobre estilo de vida do Reino Unido. Também aconselha organizações, como Oxfam e Nações Unidas, quanto ao uso da empatia e da conversa para criar mudanças sociais. Para mais informações, acesse: www.romankrznaric.com.

The school of life se dedica a explorar as questões fundamentais da vida: Como podemos desenvolver nosso potencial? O trabalho pode ser algo inspirador? Por que a comunidade importa? Relacionamentos podem durar uma vida inteira? Não temos todas as respostas, mas vamos guiá-lo na direção de uma variedade de ideias úteis – de filosofia a literatura, de psicologia a artes visuais – que vão estimular, provocar, alegrar e consolar.

A marca FSC® é a garantia de que a madeira utilizada na fabricação do papel deste livro provém de florestas que foram gerenciadas de maneira ambientalmente correta, socialmente justa e economicamente viável, além de outras fontes de origem controlada.

Como encontrar o trabalho da sua vida

Roman Krznaric

Tradução: Daniel Estill

10ª reimpressão

Grafia atualizada segundo o Acordo Ortográfico da Língua Portuguesa de 1990, que entrou em vigor no Brasil em 2009.

Título original
How to Find Fulfilling Work

Capa
Adaptação de Trio Studio sobre design original de Marcia Mihotich

Projeto gráfico
Adaptação de Trio Studio sobre design de seagulls.net

Revisão
Fátima Fadel
Eduardo Carneiro
Cristiane Pacanowsky

Editoração eletrônica
Trio Studio

Impressão e acabamento
Geográfica

CIP-Brasil. Catalogação-na-Fonte
Sindicato Nacional dos Editores de Livros, RJ

K96c

Krznaric, Roman
Como encontrar o trabalho da sua vida / Roman Krznaric; tradução de Daniel Estill. – 1ª ed. – Rio de Janeiro. Objetiva: 2012.
(The school of life)

Tradução de: How to find fulfilling work.

184p. ISBN 978-85-390-0395-2

1. Profissões - Desenvolvimento. 2. Orientação profissional. 3. Profissões - Mudança. I. Título. II. Série.

12-4961. CDD: 650.14
CDU: 331.548

[2021]
Todos os direitos desta edição reservados à
EDITORA SCHWARCZ S.A.
Praça Floriano, 19 – Sala, 3001 – Cinelândia
20031-050 – Rio de Janeiro – RJ
Telefone: (21) 3993-7510
www.companhiadasletras.com.br
www.blogdacompanhia.com.br
facebook.com/editoraobjetiva
instagram.com/editora_objetiva
twitter.com/edobjetiva

Sumário

Ocorreu-me certa vez o pensamento de que se alguém quisesse arruinar e destruir totalmente um homem, infligindo-lhe o castigo mais terrível, algo que fizesse tremer o mais cruel assassino e o levasse a se encolher por antecipação, bastaria obrigá-lo a dedicar-se a um trabalho absolutamente desprovido de utilidade e sentido.

— Fiódor Dostoievski

1. A era da realização

Três histórias sobre o trabalho

Rob Archer cresceu em um conjunto habitacional em Liverpool, onde o índice de desemprego era de 50% e a principal indústria era de heroína. Ele batalhou para sair de lá, estudou muito, foi para a universidade e encontrou um ótimo emprego como consultor administrativo em Londres. Ganhava bem, tinha clientes interessantes, sua família orgulhava-se dele. "Eu deveria me sentir realizado, mas, na verdade, era extremamente infeliz", afirma Archer. "Lembro de me escalarem para tarefas sobre as quais eu não sabia nada e, mesmo assim, ser apresentado como especialista. Supostamente, eu deveria entender de gestão do conhecimento e TI, mas não gostava do que fazia; sempre me sentia como um estranho no ninho." Ele fez o que pôde para ignorar seus sentimentos:

> Eu achava que já deveria agradecer por ter um emprego, quanto mais um emprego "bom". Por isso, me empenhei ao máximo para tentar me enquadrar. Quando isso não deu certo, comecei a contar os dias para os fins de semana. Vivi assim por dez anos, trabalhando dia e noite, sem parar. Finalmente, paguei o preço. Passei a sofrer de estresse e ansiedade crônicos. Um dia, tive de pedir para o assistente pessoal do CEO chamar uma ambulância para mim porque achei que

estava sofrendo um ataque cardíaco. Na verdade, era um ataque de pânico. Foi então que me dei conta de que não podia continuar assim.

O problema era que todas as alternativas — mudar de carreira, começar tudo de novo — pareciam impossíveis. Como trocar o conforto da minha vida segura por algo tão incerto? Será que eu não estaria arriscando todo o progresso que já tinha alcançado até ali? Também me senti culpado por estar buscando luxos como "sentido" e "realização". Será que meu avô teria reclamado desse destino? A vida parecia oferecer uma terrível escolha: dinheiro ou sentido.

Aos 16 anos de idade, Sameera Khan decidiu que queria ser advogada. Ela fora atraída pela profissão em parte pelo seu interesse em direitos humanos e na Anistia Internacional, e em parte pelo glamour envolvente de sua série de TV favorita, *LA Law*. Mas também queria fazer alguma coisa que agradasse aos pais, imigrantes paquistaneses e hindus do leste da África, que chegaram ao Reino Unido na década de 1960. Seu pai subiu na vida com esforço, começando como operário em uma fábrica, e ambos chegaram ao sucesso como gerentes na área de serviço social. "Para eles, o sucesso é medido por meio de conquistas profissionais tangíveis em carreiras como direito, medicina ou contabilidade", afirma Sameera, que agora está com pouco mais de 30 anos. "Suas expectativas influenciaram minha decisão 150%." Ela seguiu o plano e formou-se em direito, qualificando-se, em seguida, como solicitante. Conseguiu emprego como advogada corporativa de um fundo de hedge. "Eu tinha tudo, me identificava com aquele centro urbano, ganhava rios de dinheiro e adorava os desafios da profissão. Mas, depois de cinco anos no emprego, tudo mudou de repente:

> Eu estava em lua de mel, sentada em uma praia na Sicília, quando tive uma epifania. Percebi que alguma coisa estava errada. Tinha acabado de me casar, o que foi um tremendo rito de passagem na minha vida, e deveria estar radiante. Realizara o sonho de ser advogada, e tinha o meu marido ao meu lado. No entanto, me sentia totalmente frustrada. Onde estava o brilho do "minha vida agora está perfeita"? Enquanto eu estava ali pensava que o problema estava na minha carreira. Podia ver meu futuro tão claramente delineado à minha frente que me assustei. Percebi que não seria feliz sentada em um escritório pelos próximos quarenta anos — pelo resto da minha vida — fazendo com que pessoas ricas ficassem ainda mais ricas. Eu me empenhara muito para alcançar essa qualificação em uma profissão respeitada, mas então comecei a pensar: "Certamente, minha carreira deveria oferecer mais do que isso. Será que é isso mesmo? Será que a minha vida vai ser sempre assim?" Quando me dei conta de que a minha carreira até ali não parecia ter muito significado, fiquei arrasada.
>
> A perspectiva de considerar qualquer outra profissão que não o direito me deixou apavorada. Eu me identificava com direito. Na verdade, achava que direito me definia. Muitos advogados são assim — é a nossa identidade, é quem você é. Perder essa identidade faria com que me sentisse nua e completamente vazia. Se você não é um advogado, então o

> que você é? Quem você é? Quando voltei da lua de mel, vi que estava caindo em um abismo de desespero por causa do trabalho, mas não sabia como resolvê-lo. Literalmente, procurei no Google algo do tipo "o que fazer se você detesta o seu trabalho".

Iain King nunca foi uma pessoa convencional. Quando terminou o ensino médio, passou um ano viajando pela Europa — tocando o violão que carregava por toda parte. Durante um verão do início da década de 1990, quando era universitário, ele e um amigo atravessaram a fronteira para o norte do Iraque, saindo da Turquia, onde fizeram amizade com um grupo de curdos que combatiam pela liberdade, viajaram com eles em um jipe cheio de metralhadoras e lançadores de mísseis portáteis e escaparam por pouco de um sequestro. Mais tarde, Iain lançou um jornal nacional de estudantes, que fechou depois de meia dúzia de edições, e ofereceu-se como pesquisador voluntário de um partido político. Sem nunca ter planejado muito a sua carreira, acabou se especializando em negociações de paz das Nações Unidas e de outras organizações internacionais. Ajudou a introduzir uma nova moeda em Kosovo e trabalhou ao lado dos soldados na frente de batalha no Afeganistão. Também encontrou tempo para escrever um livro sobre filosofia e para passar um ano como dono de casa, na Síria, o único pai em meio a grupos de bebês na comunidade de expatriados de Damasco.

Quando a esposa de Iain engravidou do segundo filho, ele decidiu que era hora de desistir de sua precária carreira de autônomo e conseguir um emprego estável em Londres para sustentar a família. Encontrou trabalho no serviço público e agora é assessor de políticas externas humanitárias do governo. Ele descreve o trabalho com grande entusiasmo: as questões são fascinantes, as pessoas são estimulantes, e ele está usando o conhecimento que adquiriu em primeira mão sobre as situações de conflito. No entanto, há um desconforto latente. De algum modo, ser um funcionário público não se encaixa na forma como ele vê a si mesmo. O trabalho e o seu eu estão desalinhados:

> O trabalho é interessante, mas um tanto convencional para o tipo de pessoa que eu sou. Sinto que não é meu verdadeiro eu. Quando entro no metrô de manhã, às vezes me dou conta de que estou de terno, tenho 40 anos, sou de classe média, branco e vivo em um dos bairros mais convencionais de Londres. E aí eu penso: "Onde está aquele cara que costumava tocar violão no metrô de cabeça para baixo?"
>
> Superficialmente, pareço uma pessoa muito convencional, mas ainda me considero profundamente não convencional. Paradoxo é uma palavra muito forte, mas há uma tensão presente. Neste momento da minha vida, tenho que aceitar a tensão. Sou mais convencional do que seria se a minha vida fosse diferente, porque tenho filhos pequenos e sou o único provedor da família. Não estou prestes a largar o meu emprego, mas às vezes me pergunto: "Será que eu deveria ficar lá para sempre?"

Grandes expectativas

O desejo de encontrar realização no trabalho — um trabalho que proporcione um verdadeiro senso de propósito e reflita nossos valores, paixões e personalidade — é uma invenção moderna. O famoso dicionário de Samuel Johnson, publicado em 1755, revela que a palavra inglesa *fulfilment* (realização, satisfação) nem sequer aparece.[1] Durante séculos, a maior parte da população do mundo ocidental estava tão ocupada lutando para atender às suas necessidades de subsistência que não tinha tempo de se preocupar se o seu emprego era ou não estimulante e se aproveitava seus talentos além de promover seu bem--estar. Mas, hoje, a difusão da prosperidade material liberou nossas mentes, fazendo-nos esperar muito mais da aventura da vida.

Entramos em uma nova era de realização, em que o grande sonho é trocar dinheiro por um sentido na vida. Para Rob, Sameera e Iain, não basta ter uma carreira respeitável que ofereça os antiquados benefícios de um salário polpudo e segurança no trabalho. Pagar o financiamento da casa ainda é importante, mas eles precisam de mais para alimentar sua fome existencial. E não são os únicos. Durante a pesquisa para escrever este livro, falei com um grande número de pessoas, de mais de uma dúzia de países, sobre suas jornadas profissionais. De banqueiros estressados a garçonetes exaustas, de jovens recém-formados, extenuados por empréstimos estudantis, a mães que tentam voltar para o mercado de trabalho, quase todos eles aspiravam ter um emprego que valesse bem mais do que o contracheque.

Entretanto, para a maioria deles, a tarefa de encontrar uma carreira gratificante foi um dos maiores desafios de suas vidas. Alguns estavam presos a empregos desinteressantes dos quais não conseguiam se livrar, estagnados pela falta de oportunidade ou falta de autoconfiança. Outros, após passar por um processo de tentativa e erro, acabaram encontrando um trabalho de que gostavam. Muitos ainda estavam dedicados à busca, enquanto outros nem sabiam por onde começar. Quase todos enfrentaram momentos em que perceberam que o trabalho não estava dando certo, fosse através de um ataque de pânico, uma epifania ou o reconhecimento crescente de que estavam trilhando um caminho que não os levava a lugar algum. A sabedoria desses casos de mudança profissional emerge exatamente do fato de não serem histórias adocicadas, repletas de transições suaves e finais felizes, mas, ao invés disso, casos complexos, desafiadores e que revelam, na maioria das vezes, árduas batalhas pessoais.

Suas experiências refletem o surgimento de duas novas aflições do local de trabalho moderno, ambas sem precedentes na história: a praga da insatisfação no trabalho e, ligada a isso, uma epidemia de incerteza sobre como escolher a carreira certa. Nunca um número tão grande de pessoas sentiu tanta insatisfação com a vida profissional e tanta incerteza sobre como resolver o problema. A maior parte das pesquisas no Ocidente revela que pelo menos metade da força de trabalho está infeliz com seu emprego. Um estudo em vários países europeus demonstrou que 60% dos trabalhadores escolheriam uma carreira diferente se tivessem a opção de começar de novo. Nos Estados Unidos, a satisfação no trabalho está em seu menor nível — 45% — desde que essas estatísticas começaram a ser compiladas duas décadas atrás.[2] Além disso, existe a morte do conceito de "emprego vitalício", hoje uma relíquia ultrapassada do século XX. Em seu lugar, surgiu um mundo de contratos de curto prazo, empregos temporários e buscas profissionais erráticas, em que o vínculo empregatício dura em média quatro anos, nos forçando a fazer cada vez mais escolhas, muitas vezes contra a nossa vontade.[3] Escolher uma carreira não é apenas mais uma decisão que tomamos — muitas vezes de forma assustadoramente desinformada

— na adolescência ou com 20 e poucos anos de idade. Tornou-se um dilema que ainda enfrentaremos repetidas vezes ao longo de nossas vidas profissionais.

O anseio por uma carreira que traga realização profissional pode ter começado a permear nossas expectativas, mas será que é realmente possível encontrar um trabalho em que possamos prosperar e nos sentir realmente vivos? Será que se trata de um ideal utópico reservado para os poucos privilegiados que podem pagar por uma educação de primeira, ou para quem tem os meios financeiros para arriscar abrir um café com ioga para bebês ou possui as conexões sociais certas para ganhar o cobiçado prêmio de uma profissão de que realmente goste?

Existem duas maneiras abrangentes de pensar sobre essas questões. A primeira é o enfoque "sorria e aguente". De acordo com essa visão, devemos controlar nossas expectativas e reconhecer que o trabalho, para a maior parte da humanidade — incluindo nós mesmos —, é basicamente algo enfadonho e sempre será. Esqueça o sonho de realização e lembre-se do ditado de Mark Twain: "O trabalho é um mal necessário a ser evitado." Do trabalho forçado utilizado para construir as pirâmides ao exercício mecânico de balconistas de lanchonete do século XX, a história do trabalho tem sido escrita com muito sacrifício e tédio. Esta história está condensada na própria palavra. A palavra russa para trabalho, *robota*, vem da palavra usada para escravo, *rab*. O termo latino *labor* significa trabalho penoso ou duro, enquanto *travail* em francês deriva de *tripalium*, um instrumento de tortura da Roma antiga feito de três varas.[4] Poderíamos, então, considerar a visão cristã inicial de que o trabalho é um castigo, uma punição pelos pecados do Jardim do Éden, quando Deus nos condenou a ganhar o pão de todo dia com o suor do nosso rosto. Se a Bíblia não faz muito seu gênero espiritual, tente o budismo, que acredita que toda vida consiste em sofrimento. "A angústia", escreve o pensador budista Stephen Batchelor, "emerge do desejo de que a vida seja diferente do que é".[5] A mensagem da escola de pensamento "sorria e aguente" é de que precisamos aceitar o inevitável e suportar o emprego que conseguirmos encontrar, desde que ele atenda às nossas necessidades financeiras e nos deixe tempo suficiente para aproveitar a "vida real" fora do horário de expediente. A melhor maneira de nos proteger contra todos os otimistas que insistem em alcançar a realização profissional é desenvolver uma filosofia sólida de aceitação, até mesmo resignação, e não procurar encontrar uma carreira de fato significativa.

Sou mais esperançoso e defendo um enfoque diferente, segundo o qual é possível encontrar um trabalho edificante que amplie nossos horizontes e nos faça sentir mais humanos. Embora a busca por uma carreira realizadora só tenha se tornado uma aspiração generalizada no Ocidente a partir do fim da Segunda Guerra Mundial, ela encontra suas raízes na ascensão do individualismo na Europa renascentista. Essa foi a época em que celebrar a singularidade virou moda. A Renascença é conhecida por ter produzido extraordinários avanços nas artes e ciências, o que ajudou a eliminar os grilhões do dogma da Igreja medieval e da conformidade social. Mas também deu origem a inovações culturais altamente personalizadas, tais como o autorretrato, o diário íntimo, o gênero da autobiografia e o selo pessoal em cartas. Ao fazer isso, legitimou a ideia de cada um moldar sua própria identidade e destino.[6] Somos os herdeiros dessa tradição de autoexpressão. Assim como procuramos expressar nossa individualidade pela roupa que vestimos ou pela música que ouvimos, também devemos procurar um trabalho que nos permita expressar quem somos e quem queremos ser.

Algumas pessoas, especialmente as que vivem à margem da sociedade, na pobreza e sofrendo discriminação, podem não ter quase nenhuma oportunidade de alcançar esse objetivo. Isso eu reconheço. Se você estiver tentando sustentar sua família com o salário-mínimo ou fazendo fila no centro de emprego local durante uma recessão econômica, a ideia de uma carreira gratificante pode ser interpretada como um luxo.

Para a maioria das pessoas que vivem no farto Ocidente, no entanto, não há nada de utópico sobre a ideia de uma carreira realizadora. As dificuldades que existiam no passado diminuíram. É improvável que você acorde amanhã sem nenhuma outra opção a não ser trabalhar 14 horas por dia em uma fábrica têxtil em Lancashire ou colher algodão em uma fazenda de escravos no Mississippi. Como veremos, as possibilidades de escolha de carreiras se expandiram notavelmente ao longo do século passado, oferecendo uma nova gama de opções interessantes. Sim, o nível melhorou: esperamos muito mais dos nossos empregos do que as gerações anteriores. Mas quando alguém lança a pergunta mortal: "O que você faz?", vamos correr atrás de uma resposta vivificante, que nos faça sentir que estamos fazendo algo realmente interessante com nossas vidas, em vez de desperdiçar nossos anos em uma carreira que deixará um gosto amargo de arrependimento em nossas bocas.

Sorrir e aguentar? Pode esquecer. Este é um livro para quem está procurando um emprego grande o suficiente para o seu espírito, algo mais do que um "trabalho diário" cuja principal função

É possível encontrar um trabalho que seja edificante e amplie nossos horizontes.

seja pagar as contas. É um guia para ajudar você a levar sua vida profissional rumo a novas direções e para aproximar a sua carreira de quem você realmente é.

Meu enfoque é entrelaçar a exploração de duas questões vitais. Primeiro, quais são os elementos essenciais de uma carreira gratificante? Precisamos saber o que realmente estamos procurando, e essa questão é composta por três ingredientes fundamentais: sentido, fluxo e liberdade. Nenhum deles é fácil de obter e buscá-los gera tensões inevitáveis. Por exemplo, devemos preferir uma carreira que ofereça um salário excelente e status social, em vez de trabalhar por uma causa em que acreditamos, com a perspectiva de fazer diferença? Devemos aspirar ser um especialista em determinado campo de conhecimento ou abarcar vários campos diferentes, com resultados mais abrangentes? Como equilibrar nossas ambições profissionais com as obrigações de quem tem filhos ou com o desejo por mais tempo livre em nossas vidas?

A segunda pergunta que permeia este livro é a seguinte: como mudar de carreira e tomar as melhores decisões possíveis em meio a esse processo? Embora eu não apresente nenhum modelo de estratégia capaz de atender a todos, existem três passos que devemos seguir. Um ponto de partida é compreender as fontes de nossas confusões e anseios quanto a deixar nosso antigo emprego para trás e embarcar em uma nova carreira. O próximo passo é rejeitar o mito de que existe um emprego único e perfeito lá fora à nossa espera e, em vez disso, identificar nossos "múltiplos eus" — uma gama de potenciais carreiras que podem atender aos diferentes lados de nossa personalidade. Finalmente, precisamos transformar o modelo padrão de mudança profissional:

em vez de planejar meticulosamente para depois agir, devemos primeiro agir e pensar depois, realizando projetos experimentais que testem nossos vários eus no mundo real. Já pensou em se dar ao luxo de um "período sabático radical"?

Para ajudar a responder a essas perguntas, vamos buscar inspiração na vida de figuras ilustres, entre as quais estão Leonardo da Vinci, Marie Curie e Anita Roddick. Procuraremos perspectivas nas obras de filósofos, psicólogos, sociólogos e historiadores e encontraremos atividades práticas — mas intelectualmente criativas — para ajudar a esclarecer o nosso pensamento e definir as opções de carreira, tais como escrever nosso próprio anúncio de emprego. Vamos tirar lições das histórias surpreendentes de trabalhadores comuns, incluindo a de uma belga que se deu de presente, em seu 30º aniversário, a oportunidade de experimentar trinta carreiras diferentes em um ano, e a de um ex-técnico de geladeiras australiano, que se realizou tornando-se embalsamador. Também vou abordar algumas das minhas próprias experiências profissionais, que vão de jornalista a jardineiro, de acadêmico a trabalhador comunitário, com passagens em áreas como vendas por telefone, aulas de tênis e cuidados a gêmeos pequenos.

Em breve iniciaremos a nossa odisseia investigando por que é tão difícil decidir qual carreira seguir. Mas, antes de fazê-lo, passe alguns minutos pensando sobre a seguinte pergunta — ou, melhor ainda, discutindo o assunto com um amigo:

- *O que o seu trabalho atual está fazendo com você como pessoa — com a sua mente, seu caráter e seus relacionamentos?*

2. Uma breve história da confusão profissional

Blue Poles

Lembro quando, aos 23 anos, eu e meu pai vimos o quadro *Blue Poles*, de Jackson Pollock. Ele me disse que a obra o fazia pensar nas grades da cela de uma prisão para a qual ele olhava. Minha interpretação foi oposta. Senti como se eu estivesse preso dentro da cela, olhando frustrado para fora, para o mundo da liberdade.

"Mas como você pode sentir isso?", perguntou ele. "Você tem tanta liberdade e tantas oportunidades à sua frente."

Ele estava certo, sem dúvida. Após concluir a faculdade na Inglaterra, viajei para a Austrália e para a Indonésia, ganhei algum dinheiro trabalhando em *call centers* e atuando como voluntário para a Anistia Internacional. Finalmente, encontrei um emprego como jornalista financeiro em Londres — embora não tenha me deixado tão realizado quanto eu esperava.

"Sinto que tenho escolhas demais. Todos aqueles rabiscos na tela são os meus pensamentos confusos sobre o que fazer em seguida. E as grades talvez sejam meus medos de tomar a decisão errada. Eu não acho que o jornalismo seja a minha verdadeira vocação na vida. Mas como vou descobrir que vocação é essa?"

"Você é jovem, meu filho. Pode experimentar carreiras diferentes. Não faz sentido fazer algo de que não goste."

Era um conselho bem-intencionado, mas ineficaz, que revelou minhas frustrações.

"Você não percebe como é difícil ser livre", respondi bruscamente, reconhecendo quanto aquelas palavras soaram patéticas.

Ele realmente não conseguia compreender. Não fazia sentido para ele que alguém na minha posição pudesse se sentir encurralado. Meu pai chegara à Austrália como refugiado da Polônia em 1951 e teve poucas oportunidades de seguir seus talentos como matemático, linguista e músico. Depois de servir três anos como auxiliar de enfermagem em um hospital de Sydney — o trabalho forçado que lhe rendeu sua cidadania —, teve a sorte de conseguir um emprego como contador na IBM, que lhe deu a segurança e a estabilidade de que precisava para construir uma nova vida nos anos que se seguiram ao caos da guerra. Trabalhou lá por mais de cinquenta anos.

Eu, por outro lado, tinha possibilidades profissionais que ele sequer poderia ter imaginado. E, no entanto, lá estava eu reclamando, na Galeria Nacional de Camberra, perplexo — quase paralisado — pelo volume avassalador de escolhas diante de mim. Será que eu deveria tentar outro ramo do jornalismo? Ou talvez me preparar para dar aulas de inglês e encontrar um trabalho como professor na Espanha ou na Itália? Talvez dar aulas de tênis durante algum tempo? Ou, quem sabe, fazer uma pós-graduação? Por mais que eu olhasse para o quadro, não conseguia enxergar as respostas que procurava.

Não sou o único a ter experimentado tais redemoinhos de confusão. Na verdade, pouquíssimas pessoas hoje são capazes de mudar de carreira sem passar por um período turbulento de incerteza sobre a direção a seguir, o que pode durar meses — ou até mesmo anos. Ainda assim, antes de falar sobre como fazer as melhores escolhas para encontrar um trabalho gratificante, precisamos abordar uma questão fundamental: por que é tão difícil escolher o nosso caminho profissional? Precisamos entender primeiro quais são as fontes da nossa confusão antes de buscar uma forma de sair do labirinto.

Em certo nível, o problema é simplesmente o excesso de oferta. Podemos entrar em qualquer livraria e encontrar dezenas de guias de profissões, cada qual descrevendo centenas de trabalhos diferentes. Um site apresenta uma lista de 12 mil carreiras, 487 somente na letra "A" — administrador, agricultor, arquiteto, astrônomo...[7] Como escolher em meio a tantas opções? Mas sob o imenso número de possibilidades estão três razões fundamentais pelas quais a escolha da profissão é frequentemente tão problemática: não estamos psicologicamente preparados para lidar com a expansão das escolhas na história recente; estamos sobrecarregados pelo nosso próprio passado, especialmente pelo legado das nossas primeiras escolhas educacionais; e a ciência popular dos testes de personalidade raramente nos ajuda a identificar carreiras que nos realizem. À medida que passamos a compreender como essas forças moldam nossa vida, descobrimos que identificar as causas dos nossos dilemas profissionais é o primeiro passo para conseguir superá-los e ir além.

A herança da escolha

Em 1716, Benjamin Franklin, então com 10 anos, começou a trabalhar com o pai como fabricante de velas feitas de gordura animal em

Boston. Mas, dois anos depois, o menino estava cansado de cortar pavios e encher moldes para velas e começou a sonhar em fugir de casa para o mar; assim, o pai pensou em procurar outra carreira para ele. Juntos, percorreram as ruas vizinhas, onde Benjamin pôde ver as opções disponíveis, observando marceneiros, pedreiros e outros comerciantes em seu trabalho. Embora Benjamin "ainda ansiasse pelo mar", o pai finalmente decidiu que o filho literato estava mais inclinado a se tornar gráfico e assim assegurou para o rapaz um aprendizado que legalmente o vinculou a uma gráfica durante os nove anos seguintes.[8]

Ao longo da maior parte da história, as pessoas tinham bem poucas escolhas quanto a seus trabalhos. Era uma questão de destino e necessidade, em vez de liberdade e escolha. Como aconteceu com Benjamin Franklin, a decisão era frequentemente tomada pelos pais e, em geral, os filhos deveriam seguir o ramo de negócios da família. Sobrenomes ligados à profissão que perduram ainda hoje, como Smith, Baker e Butcher (respectivamente, ferreiro, padeiro e açougueiro), são remanescentes dessa tradição (Krznaric significa "filho de um peleiro", em croata). Muitos tiveram a má sorte de nascer escravos ou servos, e as mulheres geralmente eram confinadas ao trabalho doméstico. Desde a Revolução Industrial, no entanto, o leque de oportunidades de carreiras ampliou-se para além da nossa própria percepção. Precisamos entender não só as origens da nossa nova era de escolhas, mas como acabamos psicologicamente tiranizados por nossa liberdade duramente conquistada.

Karl Marx, um dos primeiros pensadores sociais a levar a sério o tema da escolha da profissão, considerou que a erosão do feudalismo e o surgimento do trabalho assalariado, nos séculos XVIII e XIX, ofereceram alguma esperança de mudança. Cada trabalhador tinha "se tornado um livre vendedor de força de trabalho, que oferece sua mercadoria onde quer que encontre mercado".[9] Isso parece ser um avanço. Mas ele também salientou que era uma liberdade ilusória, porque a maior parte das possibilidades em oferta era de árduos trabalhos industriais, que transformavam as pessoas em escravos do sistema capitalista, "o qual, como um vampiro, vive apenas de sugar o trabalho vivo". Se você fosse uma mulher pobre na Inglaterra, França ou Bélgica, por exemplo, talvez trabalhasse nas minas de carvão como "extratora", rastejando por túneis com menos de 80cm de altura e carregando o carvão para a superfície durante 12 horas por dia.[10]

O século XIX talvez tenha sido a época da pobreza dickensiana e do trabalho infernal nas minas e fábricas têxteis, mas, simultaneamente, assistiu a uma revolução na escolha das profissões por meio da disseminação da educação pública e da invenção da carreira aberta ao talento. Era cada vez mais comum, especialmente no norte da Europa, que a seleção profissional fosse baseada em mérito e qualificação, em vez de em conexões sociais ou familiares. Surgia, finalmente, uma oportunidade de mexer na hierarquia social — embora os mais beneficiados tendessem a ser homens de classe média. O Serviço Público britânico, por exemplo, começou a contratar trabalhadores por meio de concursos públicos, um avanço que enfureceu a aristocracia, que queria os melhores empregos para si. Eram poucas as pessoas sem recursos que conseguiam seguir carreiras concorridas como as de direito, medicina ou do clero, mas, se você fosse o filho (ou mesmo a filha) esforçado e inteligente de um artesão ou operário, naquela época era possível entrar no mundo executivo como escriturário, cobrador de impostos ou professor. Em 1851, havia 76 mil homens e mulheres trabalhando como professores nas escolas da Inglaterra, além de mais 20 mil governantas.[11]

Se a expansão do ensino público foi o principal acontecimento na história da escolha da profissão no século XIX, no século XX foi o crescente número de mulheres que passaram a integrar a população economicamente ativa. Nos Estados Unidos, em 1950, cerca de 30% das mulheres tinham emprego, mas até o final do século esse número tinha mais que dobrado, um padrão que se repetiu em todo o Ocidente.[12] Essa mudança resultou, em parte, da luta pelo direito ao voto e à legitimidade obtida durante o trabalho nas fábricas no decorrer das duas grandes guerras. Talvez algo ainda mais significativo tenha sido o impacto da pílula. Apenas 15 anos após sua invenção, em 1955, mais de 20 milhões de mulheres estavam usando contraceptivos orais, e mais de 10 milhões usavam o dispositivo intrauterino.[13] Ao ganhar mais controle sobre seus próprios corpos, as mulheres tinham então maior possibilidade de seguir a carreira almejada, sem as interrupções de uma gestação indesejada ou do nascimento inesperado de um filho. No entanto, essa vitória pela libertação da mulher esteve sempre acompanhada por sérios dilemas para homens e mulheres à medida que tentam encontrar um equilíbrio entre as exigências da vida familiar e suas ambições profissionais — um assunto que retomarei mais adiante.

No século XXI, somos os herdeiros dessa gradual mudança de aceitação do destino para a escolha, a qual perpassa a maioria das nações ocidentais. Isso não quer dizer que agora vivemos em uma era de iluminação em que qualquer um pode, tal qual Rocky Balboa, o heroico boxeador personificado por Sylvester Stallone, realizar o

A vida do trabalhador antes do surgimento da opção profissional no mundo ocidental: uma menina em uma máquina de fiar na Carolina do Norte, fotografada por Lewis Hine em 1908.

mítico Sonho Americano e se transformar na pessoa que deseja ser, mesmo que tenha nascido pobre. Basta perguntar aos trabalhadores imigrantes no caixa do seu supermercado local, ou a mulheres que tentam penetrar nos altos escalões do mundo corporativo. Mas, considerando o panorama histórico geral, restam poucas dúvidas de que a maioria das pessoas à procura de um emprego hoje em dia tende a encontrar muito mais oportunidades de carreira do que se tivesse vivido apenas um século atrás.

Para se ter uma noção pessoal dessa transformação histórica, vale a pena parar para traçar uma árvore genealógica que englobe algumas gerações, incluindo as profissões de cada um dos membros de sua família. Agora faça esta pergunta a si mesmo:

- *Em comparação com seus pais ou avós, qual foi seu poder de escolha em relação à sua vida profissional?*

Como no meu caso, essa árvore genealógica provavelmente mostrará que as opções de profissão diminuem à medida que voltamos no tempo. Talvez o seu avô se orgulhasse de ser capataz em uma fábrica, mas não teve o nível de instrução necessário para subir na vida, e sua carreira foi interrompida pela guerra. Talvez a sua mãe fosse uma das mais brilhantes alunas na escola e quisesse ir para a universidade, mas sucumbiu à pressão familiar e social para se casar jovem, ter filhos e se tornar dona de casa. Muito provavelmente, você terá tido a boa sorte de desfrutar de muito mais oportunidades do que seus antepassados.

No entanto, se somos assim tão sortudos, por que escolher uma carreira e encontrar um trabalho gratificante ainda parece um desafio? A resposta, segundo o psicólogo Barry Schwartz, é que agora temos escolhas *demais*, e não sabemos lidar com isso. Embora uma vida sem escolhas seja quase insuportável, afirma Schwartz, podemos chegar a um ponto em que ter uma gama de opções disponíveis transforma-se em ônus. "Neste ponto, ter escolha não é mais uma força libertadora, mas debilitadora. Pode até se dizer que é tiranizadora."[14]

Em seu livro *The Paradox of Choice* [O paradoxo da escolha], Schwartz começa discutindo o excesso de opções para o consumidor, observando que o seu supermercado local oferece aos clientes 285 variedades de biscoitos e 175 tipos de molhos para salada. Outro exemplo que ele dá se refere ao setor de telefonia. Diferentemente do que acontecia há apenas poucas décadas, a maioria das pessoas nas nações ocidentais ricas tem agora como escolher entre dezenas de provedores de serviços telefônicos privados para suas casas. Mas pode ser extremamente difícil escolher entre as diversas empresas, uma vez que todas elas oferecem sistemas de preços, ofertas especiais e regras contratuais diferentes. A pesquisa e a análise das opções podem demorar horas. "Um efeito de ter tantas opções", argumenta Schwartz, "é que elas produzem paralisia, em vez de libertação — com tantas opções disponíveis, as pessoas acham muito difícil fazer qualquer escolha". Assim, frequentemente desistimos e escolhemos a empresa telefônica que já nos atende. O segundo efeito é que "mesmo que consigamos superar a paralisia e tomar a decisão, acabamos menos satisfeitos com o resultado da escolha do que ficaríamos se houvesse menos opções". Sua principal explicação para esse aparente paradoxo é que sempre é possível imaginar que poderíamos ter feito uma escolha melhor, por isso lamentamos a decisão tomada e, assim, nos sentimos infelizes.[15]

Schwartz acredita que efeitos similares podem aparecer no campo das decisões profissionais, já que agora temos muito mais opções do que no passado, tendo deixado para trás os dias de Benjamin Franklin.[16] Claro, escolher uma profissão é diferente de escolher a empresa telefônica ou o aparelho de som certo: não podemos simplesmente escolher a proposta mais atraente, já que estamos limitados por fatores como as nossas qualificações educacionais e experiência profissional. Ainda assim, podemos nos deparar com dezenas de caminhos possíveis. Será que vale a pena sair de uma carreira de corretagem de seguros para entrar no ramo de consultoria em gestão, ou talvez se dedicar ao direito ou ao magistério, ou, quem sabe, mudar para uma empresa pequena, ou então passar um ano viajando para relaxar a cabeça? Ou, se você está pensando em voltar para a escola para se tornar psicoterapeuta, seria melhor fazer um curso centrado em abordagens psicodinâmicas, comportamentais ou cognitivas, ou talvez humanistas, integrativas ou centradas nas pessoas? Ser confrontado com tantas opções pode ser uma experiência desconcertante, como aconteceu comigo quando fiquei diante do quadro *Blue Poles*. A consequência é que muitas vezes ficamos psicologicamente paralisados, como um coelho diante das luzes dos faróis. Ficamos tão preocupados lamentando a escolha ruim que podemos acabar não tomando decisão alguma e permanecer sem ação em nossa atual carreira insatisfatória.

Será que existe alguma solução para lidar com a sobrecarga de escolhas que aflige a sociedade moderna? Schwartz faz duas sugestões principais. Primeiro, devemos tentar limitar nossas opções. Assim, na hora em que formos comprar roupas novas, poderíamos criar a regra pessoal de visitarmos apenas duas lojas, em vez de ficarmos eternamente em busca de um modelo melhor ou de um preço mais baixo. Em segundo lugar, devemos "otimizar mais e maximizar menos". O que ele quer dizer é que, em vez de procurar comprar o par de jeans perfeito, devemos comprar um par que seja "bom o bastante". Em outras palavras, baixando nossas expectativas, poderemos evitar boa parte da angústia e da perda de tempo que surge com o número excessivo de escolhas.[17]

O problema, no entanto, é que, embora tais estratégias sejam úteis na hora de fazer compras, são inadequadas quando se trata de tomar decisões profissionais. Não existem formas fáceis de limitar as opções — será que basta olhar o número de profissões listadas no guia sob a letra "A"? Além disso, o trabalho que fazemos é uma parte tão significativa de nossas vidas que "bom o bastante" simplesmente não é bom o bastante. Devemos buscar mais satisfação em vez de aceitar o que vier. O que realmente precisamos fazer é reduzir as escolhas pensando de forma mais aprofundada sobre os principais elementos de uma carreira gratificante e, depois, pensar em formas concretas de testar quais deles melhor atendem às nossas aspirações. E é precisamente disso que tratam os demais capítulos deste livro.

Os perigos da educação

Embora condenadas pela tirania do excesso de escolhas, muitas pessoas estão sujeitas a uma segunda força que torna difícil escapar de seu trabalho insatisfatório: o fato de estarem presas ao próprio passado, especialmente ao que escolheram estudar quando eram jovens. Trilhamos caminhos profissionais que têm profundas raízes em nossas histórias pessoais, o que pode nos impedir de buscar rumos alternativos mais ousados.

Normalmente, isso começa na escola. Aos 15 ou 16 anos, embarcamos em caminhos educacionais que afetam nossa vida profissional por anos. Isso é comum na Inglaterra, em que 80% dos estudantes escolhem as matérias avançadas que cursarão nos dois últimos anos do ensino médio com base na "utilidade" delas para a sua carreira.[18] Se você estiver pensando em ser professor de língua estrangeira, por exemplo, talvez escolha matérias como francês, italiano e história. Mas, ao deixar as matérias de ciências de lado, pode nem considerar a possibilidade de se tornar médico ou veterinário. Da mesma forma, se você decidir estudar medicina na faculdade e conseguir as notas exigidas para passar, depois de se empenhar durante cinco ou seis anos para alcançá-las, a probabilidade de se tornar um designer gráfico ou músico é praticamente nula. Os médicos talvez reclamem das longas jornadas de trabalho e do alto nível de estresse, mas raramente mudam para outra carreira fora da área de saúde.

A maneira como a educação pode nos prender às nossas carreiras, ou pelo menos direcionar substancialmente o caminho que seguimos, não seria problemática se fôssemos excelentes juízes de nossas personalidades e interesses futuros. Mas não somos. Aos 16 anos, ou mesmo na casa dos 20, você realmente sabia o tipo de carreira que estimularia sua mente e ofereceria uma vocação significativa? Você tinha alguma ideia de quais eram as opções de trabalho disponíveis? A maioria de nós não tem experiência de vida — e de nós mesmos — para tomar uma decisão acertada nessa tenra idade, mesmo com a ajuda de orientadores vocacionais bem-intencionados.

O resultado é que as pessoas muitas vezes se veem presas em carreiras que não combinam com a sua personalidade, seus ideais ou expectativas. As escolhas e oportunidades educacionais vêm assombrá-las. Foi o que aconteceu com Sameera Khan, cuja história mencionamos anteriormente, que por fim conseguiu se libertar da função de advogada para tentar trabalhar como empresária social:

> Em retrospecto, é uma loucura. Com 16 anos, eu queria ser advogada. Como eu poderia saber o que me deixaria feliz para o resto da minha vida? Não vou ser com 45 anos a mesma pessoa que fui quando tinha 16. Terei valores, opiniões e motivações diferentes.

A pressão e as expectativas da família também podem influenciar nossas primeiras decisões em termos de estudos e profissão, especialmente para os filhos de imigrantes ou de pais muito bem-sucedidos. Um quarto dos graduados de origem asiática na Inglaterra sente que seus pais influenciaram significativamente sua escolha profissional, o que ocorre com apenas um em cada dez não asiáticos. E esses pais têm ideias muito claras sobre qual é a profissão apropriada para seus filhos: 24% preferem medicina; 19%, direito; e 14%, contabilidade.[19] Sameera atende ao padrão: ela sabia que escolher uma carreira em direito agradaria ao pai paquistanês e à mãe indiana. Não surpreende, portanto, que tenham ficado absolutamente perplexos com a decisão da filha de largar o emprego de advogada, que pagava tão bem. "É muito difícil para eles entenderem", afirma Sameera. "Eles talvez compreendessem se eu fosse mais velha e já tivesse terminado de pagar a hipoteca, se tivesse filhos já crescidos e na universidade. Mas eles acham que eu agi precipitadamente abrindo mão da segurança e de um futuro confortável, sem ganhar os benefícios financeiros. De certa forma eles estão certos — me sinto mal toda vez que penso no que fiz."

Embora a opinião da família possa moldar nossas escolhas quando somos jovens e impressionáveis, à medida que envelhecemos essa influência gradualmente desaparece. A desaprovação dos pais não iria impedir Sameera de pedir demissão da empresa aos 32 anos. Mas outra coisa iria. Era a ideia de que ela passara tanto tempo estudando para se tornar advogada que seria imperdoável desperdiçar todos aqueles anos abandonando a profissão: "Pensei que não teria como largar a profissão tão pouco tempo depois de conquistá-la — eu tinha me empenhado muito para chegar lá. Seria uma espécie de autossabotagem." Esse tipo de pensamento se assemelha ao que os economistas descrevem como decisão baseada em "custos irrecuperáveis": se você compra um par de sapatos caríssimos que se mostram terrivelmente desconfortáveis, não vai querer jogá-los fora porque custaram muito caro.[20] Da mesma forma, você relutará em abrir mão de uma carreira jurídica para a qual dedicou uma década de sua vida, mesmo considerando-a insatisfatória. Os custos irrecuperáveis são simplesmente altos demais para serem ignorados.

Esse sentimento de que podemos estar desperdiçando tudo que lutamos para conseguir é uma das maiores barreiras psicológicas que enfrentam aqueles que contemplam uma mudança de carreira. Se você passou anos trabalhando para subir na vida como advogado, publicitário, ou desempenhando qualquer outra função, e depois percebe que está infeliz e quer fazer outra coisa, dificilmente se sentirá consolado por um amigo que lhe garante que tudo isso era "parte da jornada da vida" ou que "não existe desperdício na vida". Eles poderiam estar certos no fim das contas — as habilidades adquiridas na sua carreira anterior podem ser aplicadas com sucesso em outras situações —, mas tais clichês não vão fazer você se sentir melhor. Você também pode não estar disposto a abrir mão de uma identidade de trabalho que lhe confere um sentido de status e pertencimento. Como já mencionado, Sameera preocupava-se com o fato de que perder sua identidade como advogada "a faria se sentir nua e completamente vazia".

O resultado é que podemos nos encontrar em uma luta constante com nosso passado, incapazes de tomar a decisão de tentar algo novo, por causa de uma fidelidade à pessoa que fomos, em vez de à pessoa que esperamos nos tornar.

Uma maneira útil de pensar sobre esta questão é que ficamos presos entre dois tipos de arrependimento. Por um lado, o arrependimento de abandonar a carreira para a qual dedicamos tanto tempo, energia e emoção. Do outro, a possibilidade de olhar para trás quando envelhecermos e lamentar o fato de não termos abandonado um trabalho que não nos proporcionou o tão desejado sentimento de realização. Então, que tipo de arrependimento levamos mais em conta na hora de tomar decisões? De acordo com a mais recente pesquisa em psicologia, a última: a forma de arrependimento mais emocionalmente corrosiva ocorre quando deixamos de agir em relação a algo que é profundamente importante para nós. À medida que o tempo passa, a escolha que deixamos de fazer torna-se cada vez maior em nossas mentes e a ideia do "e se eu tivesse..." lança uma terrível sombra sobre nossas vidas.[21] O filósofo

A.C. Grayling chegou a uma conclusão semelhante: "Se existe algo a se temer no mundo, é viver de forma a ter motivos para arrependimento no final."

Devemos reconhecer que nossas escolhas iniciais em termos de instrução e profissão podem ter sido feitas quando éramos pessoas muito diferentes das que somos hoje. Ficar estagnado em um emprego que não mais atende à nossa personalidade ou aspiração pode ser igual a tentar manter um relacionamento que não está mais funcionando por causa da distância entre o casal. Chega um momento em que a separação provavelmente é a opção mais saudável, por mais dolorosa que seja. Todos nós mudamos: aprendemos mais a nosso respeito e modificamos nossas prioridades e perspectivas, sob a desafiadora tutela da experiência humana.

- *Quais foram os principais momentos na sua formação que definiram a direção da sua vida profissional?*

A ciência equivocada dos testes de personalidade

Diante do excesso de opções de trabalho e da relutância em abrir mão da nossa antiga carreira, como encontrar o caminho para sair da confusão? Nos últimos cem anos, uma nova e intrigante profissão emergiu, projetada especificamente para nos ajudar com essa tarefa: o conselheiro de carreira. Dentro de um espaço de tempo extraordinariamente curto, eles se tornaram os sumos sacerdotes do local de trabalho moderno, oferecendo conselhos para todos, desde quem abandona os estudos e os recém-formados àqueles que acabam de ser despedidos ou que estão passando por uma crise de meia-idade.

Existem muitas variedades de aconselhamento profissional, algumas extremamente sutis e perspicazes, outras menos. Uma forma merece atenção especial, tanto por causa de sua onipresença quanto por seus potenciais perigos: aconselhamento de carreira com base em testes de personalidade. A ideia de que é possível preencher um questionário padronizado e encontrar um par perfeito entre o seu tipo de personalidade e determinada carreira é sedutora. Mas fortes indícios sugerem que esse é um método essencialmente falho, que, apesar de ter alguns benefícios, gera expectativas que raras vezes são cumpridas. Uma razão importante pela qual a busca por uma carreira gratificante pode ser tão difícil é que essa abordagem aparentemente "científica" à orientação profissional raramente fornece as respostas que esperávamos. Para explicar com exatidão por que isso é assim, precisamos voltar às raízes da orientação vocacional propriamente dita.

O chamado "pai da orientação vocacional" foi um ex-engenheiro, advogado e professor chamado Frank Parsons. Em 1908, ele criou o Vocation Bureau em Boston, oferecendo um dos primeiros serviços de aconselhamento vocacional do mundo.[22] Seu livro essencial, *Choosing a Vocation* [Escolhendo uma vocação], foi publicado no ano seguinte e tornou-se a bíblia para as primeiras gerações de orientadores vocacionais, especialmente nos Estados Unidos. Parsons acreditava piamente que a orientação vocacional deveria se basear em princípios científicos. Desenvolveu um elaborado sistema para combinar os traços de personalidade dos clientes com as características desejadas para o sucesso em indústrias específicas. Bastava entrar em seu escritório e ele começava fazendo nada menos do que 116 perguntas de avaliação. Queria saber não só as suas ambições pessoais, seus pontos fortes e fracos, mas também com que frequência você tomava banho e se dormia com a janela aberta. Tratava-se de um homem detalhista.

Havia só mais uma coisa que precisava fazer antes de oferecer o sábio conselho para o seu futuro profissional. "Observo cuidadosamente o formato da cabeça do candidato." Sim, a cabeça. "Se a cabeça do candidato for bem desenvolvida atrás das orelhas, com pescoço grande, testa baixa e cabeça pequena, provavelmente ele é do tipo animal", escreveu Parsons, "e deve ser tratado com base nisso".[23]

Parsons foi um adepto da agora extinta "ciência" da frenologia, que ensinava que o caráter de uma pessoa pode ser avaliado medindo-se suas proeminências e depressões cranianas. Sobre um assistente de uma loja de departamentos de 22 anos que procurou o conselho de Parsons foi dito que tinha "a cabeça estreita não muito bem equilibrada", e o aconselharam a não seguir sua ambição de se tornar advogado. Outros tiveram mais sorte — "cabeça grande, esplendidamente formada", declarou sobre o filho estudioso de um engenheiro.[24] Parsons não estava sozinho em suas obsessões cranianas. Um dos segredos mais obscuros da história da orientação vocacional é que ela se originou na moda da frenologia nos Estados Unidos, no século XIX, que, por sua vez, tinha origem nas teorias raciais, sugerindo que a superioridade dos brancos sobre outras raças era evidente pelo formato adequado de seus crânios. A partir da década de 1820, escreve um historiador, "muitos anúncios de emprego pediam que os candidatos apresentassem um relatório frenológico junto com sua

"O menino — o que ele será quando crescer?" Nesta charge da década de 1820, um frenologista mede a cabeça de um jovem fidalgo. Pendurado na parede está um retrato de Franz Josef Gall (1757-1828), fundador da pseudociência popular.

carta de referência", e milhares foram emitidos com orientação vocacional baseada nas medidas da cabeça.[25]

Essa duvidosa abordagem científica à orientação vocacional passou por uma transformação na primeira metade do século XX. Em vez de medir a parte externa da cabeça, a nova tendência era medir o interior por meio de testes de personalidade, que tinham se tornado cada vez mais populares desde que o psicólogo francês Alfred Binet inventou o teste de QI, em 1905. Na década de 1970, a realização de testes psicométricos para determinar a personalidade havia se tornado parte do repertório padrão de muitos orientadores vocacionais.

A pergunta óbvia é se esses testes conseguem ajudar na identificação de uma carreira gratificante. Minhas conversas com pessoas em busca de emprego revelaram um ceticismo geral. Lisa Gormley, por exemplo, se lembra da reação dela, aos 15 anos, ao ler a resposta do questionário sobre sua personalidade feito na escola:

> A resposta impressa pelo computador disse que a melhor carreira para mim seria enfermagem dentária. Era uma sugestão ridícula. Dentistas, eca! — escrever "superiores esquerdos 1, 2, 3, 4, 5, 6 ausente, 7, 8", enquanto o dentista conta os dentes do paciente —, que coisa chata! Ficar presa dentro de uma sala de exames azul com persianas de madeira empoeiradas em um dia de sol não é para mim, querido! Fui para a beira do rio ler poesia... Aquilo simplesmente me fez esquecer qualquer plano de carreira.

Lisa fez questão de ignorar o conselho. Foi estudar filosofia e francês na Universidade de Oxford, trabalhou com refugiados na Guatemala e na Jordânia e depois se tornou advogada de direitos humanos internacionais.

Entretanto, não devemos nos precipitar em descartar os testes de personalidade. Há toda uma indústria de conselheiros de carreira que os levam muito a sério. Porém, mesmo os testes mais sofisticados têm falhas consideráveis. Considere o Myers-Briggs Type Indicator (MBTI), teste psicométrico mais popular do mundo, que se baseia na teoria de Jung sobre os tipos de personalidade. Mais de 2 milhões de testes são administrados por ano, e existe boa chance de você já ter sido submetido a um deles em uma sessão de orientação vocacional, durante um curso de gestão no trabalho, ou como parte do processo de uma entrevista de emprego. O MBTI classifica a pessoa em um dos 16 tipos de personalidade, com base em categorias dicotômicas e no fato de ela ser introvertida ou extrovertida, ou de ter disposição para ser lógica ou emocional (o que ele chama de "pensamento" ou "sentimento").

O fato interessante — e de certa forma alarmante — sobre o MBTI é que, apesar de sua popularidade, ele tem sido alvo de duras críticas por parte de psicólogos profissionais há mais de três décadas.[26] Um problema é que ele mostra o que os estatísticos chamam de "baixa confiabilidade teste-reteste". Então, se você refizer o teste num intervalo de apenas cinco semanas, existe cerca de 50% de chance de cair em uma categoria de personalidade diferente, em comparação à primeira vez em que o teste foi realizado.[27] Uma segunda crítica afirma que o MBTI erroneamente pressupõe que a personalidade se encaixa em categorias mutuamente exclusivas de "ou isso/ou aquilo". *Ou* você é extrovertido *ou* introvertido, mas nunca uma mistura dos dois. Entretanto, na realidade, a maioria das pessoas se encaixa em algum lugar no meio desta e de outras dimensões da personalidade.[28] Se o MBTI também medisse a altura, você poderia ser classificado como alto ou baixo, embora a maioria das pessoas esteja em uma faixa de altura mediana. A consequência é que o resultado do teste aplicado a dois indivíduos, respectivamente rotulados de "introvertido" e "extrovertido", pode ser quase exatamente o mesmo, só que eles são classificados pelo MBTI em categorias diferentes, já que cada um fica de um lado da linha divisória imaginária.[29]

Outro detalhe — algo que realmente importa para os leitores deste livro. De acordo com documentos oficiais de Myers-Briggs, o teste pode "fazê-lo enxergar tipos de trabalho que talvez lhe agradem e nos quais você poderá ter sucesso". Então, se você, como eu, for classificado como "INTJ" (seus traços dominantes, nesse caso, são a introversão, a intuição e a preferência por pensar e julgar), as ocupações que mais combinam com a sua personalidade incluem consultor administrativo, profissional de TI e engenheiro.[30] Será que uma mudança para uma dessas carreiras me deixaria mais realizado? Improvável, de acordo com o respeitado psicólogo norte-americano David Pittenger, porque não há "evidências que demonstrem uma relação positiva entre o tipo MBTI e o sucesso profissional [...] Assim como não existem dados para sugerir que tipos específicos estão mais satisfeitos em determinadas ocupações do que outros tipos". Então, por que o MBTI é tão popular? O sucesso do teste, argumenta o psicólogo, deve-se principalmente "à natureza atraente dos resumos das personalidades, semelhantes aos do horóscopo, e a um marketing eficiente".[31]

Os testes de personalidade têm sua utilidade, mesmo que não revelem qualquer "verdade" científica a nosso respeito. Se nos encontramos em um estado de confusão, podem ser de grande conforto emocional, oferecendo um diagnóstico claro do motivo pelo qual nosso trabalho atual pode não ser o mais adequado, e sugerindo outros que possam nos atender melhor. Também levantam hipóteses interessantes que ajudam na autorreflexão: até eu fazer o teste MBTI, nunca tinha considerado que as profissões ligadas a TI poderiam me oferecer um futuro brilhante (aliás, aparentemente, meu tipo de personalidade não combina com a profissão de escritor). Ainda assim, devemos ter cuidado para não acreditar que esses testes são como uma pílula mágica que de repente nos mostram a carreira dos sonhos. É por isso que os conselheiros de carreira mais sábios tratam esses testes com cautela, utilizando-os apenas como uma das muitas maneiras de explorar quem você é. A personalidade humana não se reduz claramente a 16 ou qualquer outro número definitivo de categorias: somos criaturas muito mais complexas do que os testes psicométricos são capazes de revelar. Como veremos em breve, existem provas contundentes de que é muito mais provável encontrarmos um trabalho gratificante por meio de experiências no mundo real do que preenchendo formulários.[32]

Onde é que esta viagem pela confusão profissional nos deixa? A essa altura, já deve estar claro que você não está sozinho nas incertezas sobre o caminho a seguir, nem deve se culpar pessoalmente por se sentir assim. A história nos legou um excesso de opções com as quais poucos de nós têm condições psicológicas de lidar. Podemos também estar lutando contra o legado de decisões educacionais e profissionais tomadas quando éramos jovens imaturos ou quando estávamos sofrendo pressão da família. Além do mais, a promessa de receber uma orientação vocacional com base "científica", capaz de mapear nossas personalidades em trabalhos específicos, não conseguiu se materializar e oferecer uma solução fácil para os nossos dilemas.

Você também deve estar em melhor posição para responder às principais questões subjacentes às suas confusões profissionais. Dedique dez minutos para considerá-las agora. Em uma folha de papel, anote — ou descreva, por meio de imagens e diagramas — suas respostas para as seguintes perguntas:

- *Quais são as três principais razões de sua confusão quanto a seus próximos passos?*
- *Quais são seus três maiores receios quanto a uma mudança de profissão?*
- *Quais são os três maiores desafios práticos a serem enfrentados?*

Vou abordar em mais detalhes como enfrentar nossos medos e outros obstáculos, mas agora basta pensar sobre essas perguntas para identificar suas preocupações e encará-las.

Agora estamos em posição de avançar para além do campo das incertezas. Precisamos ter coragem de chegar aonde a maioria dos testes de personalidade não consegue e explorar exatamente que tipo de realização profissional desejamos alcançar. Queremos seguir os atrativos cintilantes do dinheiro e do status, ou queremos ser guiados por nossos valores, talentos e paixões em nossa busca por sentido?

3. Dando sentido ao trabalho

As cinco dimensões do sentido

O castigo mais terrível para qualquer ser humano, escreve Dostoiévski, seria a condenação a uma vida inteira de trabalho "absolutamente desprovido de utilidade e sentido". Ele tinha razão em afirmar que o sentido é importante. Juntamente com o fluxo e a liberdade, ele é um dos três ingredientes básicos de uma carreira gratificante. Mas ficamos imaginando o que *realmente* é o sentido e como podemos encontrá-lo.

Neste capítulo, vamos abordar cinco aspectos diferentes do que pode tornar um trabalho significativo: ganhar dinheiro, alcançar status, fazer a diferença, seguir nossas paixões e usar nossos talentos. Podemos pensar nessas forças como fontes essenciais de motivação que impulsionam as pessoas a prosseguirem em suas carreiras. Elas são as bases psicológicas para o trabalho que realizamos e para os motivos pelos quais os realizamos. O dinheiro e o status são chamados de fatores motivadores "extrínsecos", uma vez que tratam o trabalho como meio para um fim, enquanto os demais três fatores são "intrínsecos", com o trabalho valorizado como um fim em si mesmo.[33]

A questão que precisamos abordar é a seguinte: qual dessas motivações deve ser a principal orientação em nossas escolhas profissionais? Por exemplo, devemos preferir um trabalho que ofereça excelente remuneração em detrimento de outro com um salário mais baixo, mas que oferece maiores perspectivas para nossos talentos criativos? Entender exatamente quais são nossas prioridades pode nos ajudar a desenvolver uma visão pessoal do que é um trabalho realmente significativo, para que possamos reduzir o número de possibilidades de carreira e fazer as escolhas certas.

Ao explorarmos cada motivação isoladamente, descobriremos não só seus desafios individuais e as tensões existentes entre elas, mas também que não existe um modelo único para uma carreira significativa. Além disso, também ficará claro que seguir uma profissão só porque ela oferece as tentadoras recompensas de um bom salário e status não é garantia de uma boa vida. Com a ajuda do guru dos cosméticos, de um atleta profissional e de um ex-engenheiro de voo espacial, aprenderemos que seguir os nossos valores, paixões e talentos é a forma mais garantida de satisfazer nossos anseios de realização. Neste ponto, estaremos bem-preparados para experimentar três atividades imaginativas criadas para gerar opções profissionais concretas.

O dinheiro e a boa vida

Um dos principais motivos pelos quais você está no seu emprego atual é porque o salário é bom? E uma das principais razões pelas quais você reluta em pedir demissão é porque você não pode se imaginar tendo uma redução salarial significativa, ou entrando em uma profissão nova com perspectivas financeiras limitadas? Quando faço essas perguntas nas aulas que dou na School of Life sobre "Como encontrar um emprego que você adora", pelo menos metade das pessoas na sala levanta o braço.

A resposta não surpreende, já que escolher uma carreira por causa dos benefícios financeiros é a motivação mais antiga e mais forte no mundo do trabalho. No século XIX, o filósofo alemão Arthur Schopenhauer sugeriu por que esse desejo por dinheiro é tão persuasivo: "Com frequência, os homens são criticados pelo fato de o dinheiro ser o principal objeto de seus desejos e de ser preferido acima de tudo, mas isso é natural e até mesmo inevitável. Pois o dinheiro é um Proteu inesgotável, sempre pronto a se transformar no objeto atual dos seus desejos maleáveis e de suas necessidades manifestas [...] O dinheiro é a felicidade humana no mundo abstrato." Então isso significa que devemos colocar nossas esperanças de realização profissional em altos salários e gratificações? A resposta é não.

Schopenhauer talvez estivesse certo quanto ao fato de que o desejo por dinheiro é generalizado, mas estava errado quando igualou dinheiro à felicidade. Evidências esmagadoras emergiram nas últimas duas décadas no sentido de que a busca por riqueza é um caminho improvável para alcançar bem-estar pessoal — o antigo ideal grego do *eudemonismo* ou "a boa vida". A falta de qualquer relação clara e positiva entre renda e felicidade crescentes tornou-se um dos mais poderosos achados das ciências sociais modernas. A partir do momento em que nossa renda é suficiente para cobrir nossas necessidades básicas, novos aumentos acrescentam pouco, se é que acrescentam alguma coisa, ao nosso nível de satisfação.[34]

Isso porque normalmente nos vemos presos naquilo que o psicólogo Martin Seligman chama de "cadeia hedonista": à medida que enriquecemos e acumulamos mais posses materiais, nossas expectativas aumentam, por isso trabalhamos ainda mais para ganhar dinheiro a fim de comprar mais bens de consumo e aumentar nosso bem-estar, mas em seguida nossas expectativas aumentam de novo, e o processo não tem fim.[35] Passamos de um televisor padrão para o de tela plana, de um carro para dois, da possibilidade de alugar uma casa de férias para a família para a compra de uma segunda casa, e nada disso contribui significativamente para aumentar a nossa sensação de uma vida plena e significativa. Pior, pode muito bem contribuir para aumentar os níveis de ansiedade e depressão, uma vez que estamos sempre querendo mais. Poucas pessoas têm a convicção necessária para evitar a cadeia hedonista, mesmo aquelas que prometem que só ficarão em determinado trabalho chato, mas bem pago, por pouco tempo, como cinco anos antes de pedir demissão: quase sempre ficam presas à cadeia e não conseguem cumprir a promessa.

Entre os mais sábios comentaristas sobre essa questão está a psicoterapeuta Sue Gerhardt, que faz as seguintes observações em seu livro *The Selfish Society* [A sociedade egoísta]:

> No Ocidente, ficamos presos nesses ciclos de luta e insatisfação sem fim, tentando nos manter em dia com as formas cada vez mais sofisticadas de exibicionismo consumista que vemos na televisão e na internet. Esse ímpeto para acumular bens e serviços materiais parece ter qualidades viciantes: é um apetite voraz sem nenhum mecanismo embutido para nos alertar sobre a hora de parar; queremos cada vez mais — especialmente, ao que parece, sempre mais em comparação com as outras pessoas [...] Embora tenhamos relativa abundância material, na verdade não temos abundância emocional. Muitas pessoas não têm o que realmente importa. Sem segurança emocional, elas procuram segurança em artigos materiais.[36]

Assim, podemos estar procurando a realização pessoal nos lugares errados — em *ter* em vez de *ser*, em acumular posses em vez de construir relações empáticas e enriquecedoras. Talvez seja hora de abandonarmos a ideia de que uma carreira impulsionada principalmente pelo dinheiro possa comprar a vida expressiva e próspera que tanto desejamos.

Além disso, quando as pessoas são questionadas sobre o que lhes proporciona satisfação no trabalho, raramente o dinheiro aparece no topo da lista. Na escala global de Mercer — com base em entrevistas realizadas com milhares de trabalhadores na Europa, nos Estados Unidos, na China, no Japão e na Índia —, a "remuneração básica" ficou apenas em sétimo lugar entre os 12 elementos-chave. O que realmente parece fazer diferença para as pessoas é a qualidade de seus relacionamentos no trabalho: "respeito" e "colegas de trabalho" estão no topo da lista. Outras entrevistas também revelam que o bom relacionamento com os colegas, assim como questões como o equilíbrio entre o trabalho e a vida pessoal, segurança no trabalho e sentido de autonomia estão à frente do dinheiro como fonte de satisfação.[37]

Poucas pessoas tendem a ignorar o dinheiro completamente ao tomar uma decisão profissional: todos nós temos dívidas, contas para pagar e família para sustentar. A verdadeira questão é o peso que devemos atribuir a ele. Não precisamos de gurus espirituais ou de filósofos para saber a resposta. Existem hoje muitas provas empíricas que sugerem que, se realmente aspiramos à felicidade, estaríamos agindo irrefletidamente se nos deixássemos guiar apenas pelo dinheiro.

- *O que você mais gostaria de mudar sobre a sua atitude em relação ao dinheiro?*

Status e os segredos do embalsamamento

Além do dinheiro, a outra recompensa extrínseca que as pessoas normalmente procuram é o status social. Ele vem em duas variedades. Um deles é o status de ter um trabalho de prestígio que seja admirado e reverenciado pelos outros, como o de diplomata, produtor de televisão, advogado, cirurgião, atleta profissional, professor universitário ou escritor. É uma perspectiva atraente, como me disse recentemente um de meus alunos: "Eu sempre quis um trabalho que impressionasse meus amigos." Como os romanos antigos, ainda temos um desejo ardente por reputação e glória.

A segunda variedade é o status baseado em nossa posição em relação aos outros. Isso se revela em parte em nossas preferências de receita. Um famoso estudo de economia comportamental demonstrou que, se pudermos escolher entre ganhar 50 mil dólares por ano quando todo mundo ganha 25 mil, ou 100 mil dólares enquanto todo mundo ganha 200 mil dólares, a maioria das pessoas escolheria a primeira opção.[38] Também nos preocupamos com a nossa posição relativa nas hierarquias das profissões. Se todos os seus colegas estão alcançando sucesso, tornando-se diretores ou presidentes das empresas, e você continua definhando em posições de menos responsabilidade, talvez se sinta fracassado e queira se juntar a eles.

O status pode ser uma forma importante de melhorar a sua autoestima. No entanto, como alertou o filósofo do século XVIII Jean-Jacques Rousseau, "este desejo universal de ter uma reputação", em que nos julgamos pelos olhos de outra pessoa, é repleto de perigos.[39] Podemos facilmente ser levados a buscar uma carreira que a sociedade considere prestigiada, mas na qual nós não estejamos intrinsecamente dedicados

— uma carreira que não atende à nossa necessidade de realização. Nos meus cursos, vivo conhecendo pessoas que estão profundamente infelizes com o seu trabalho, apesar de terem carreiras aparentemente invejáveis, em áreas como fotojornalismo ou neurociência. Outros alunos em sala mal conseguem acreditar que alguém possa estar infeliz em um emprego aparentemente tão impressionante.

Existe outro problema. Assim que alcançamos um nível de status, outro logo aparece acima dele. Podemos aspirar, por exemplo, a ser um produtor de televisão de sucesso. Tendo chegado lá e conseguido ser produtor de um seriado popular de TV, no entanto, talvez desejemos estar entre os agraciados com os prêmios mais cobiçados ou entre aqueles que produzem filmes de longa metragem. Nosso grupo de colegas muda, e o status que desejamos está sempre longe do nosso alcance, de forma muito semelhante à "cadeia hedonista" que continuamente eleva as nossas expectativas como consumidores. O escritor e pensador espiritual C.S. Lewis identificou esse problema quando afirmou que a maioria de nós deseja ser membro de um "círculo íntimo" de pessoas estimadas ou importantes, mas que "nunca conseguiremos alcançar um 'interior' satisfatório", uma vez que o círculo sempre conterá outros círculos menores.[40] A lição pode ser a simples ideia de que não devemos ficar tão preocupados com o que as outras pessoas pensam de nós.

- *Quem você acha que está julgando o seu status — talvez a família, velhos amigos, colegas? Você quer dar a eles esse poder?*

Claro que a maioria de nós deseja ser reconhecida por nossos feitos. Como conseguir esse reconhecimento se não for por meio do status? A resposta está no salão de uma funerária.

Trevor Dean trabalhou como mecânico de refrigeração e, mais tarde, como assistente de vendas, no estado australiano de Victoria. Um dia, um amigo mencionou que fora contratado por uma funerária local. Trevor, que estava acostumado com a morte, tendo passado anos como bombeiro voluntário, ficou interessado naquela que parecia ser uma carreira fascinante:

> Eu queria um trabalho que fosse útil, desafiador e interessante. Assim, quando vi um anúncio local pedindo um assistente funerário, me candidatei e fui selecionado entre trinta candidatos. Três anos mais tarde, me inscrevi no curso de embalsamador. Hoje em dia estou inteiramente qualificado e não me arrependo da decisão. O estudo me fez perceber como o corpo humano é realmente incrível.
>
> O que este trabalho significa para mim? Eu cuido de entes queridos em sua última jornada; cuido deles como se fossem meus parentes. Tenho uma pasta cheia de cartas de agradecimento de várias famílias, que, na minha opinião, explicam muito do meu trabalho como embalsamador.
>
> Uma carta diz: "A esposa ficava repetindo quanto ele parecia calmo e bonito e queria transmitir seus sinceros agradecimentos." Outra dizia que: "A família ficou absolutamente enlevada com a forma em que ela foi apresentada e não parava de elogiar sua beleza, por isso, obrigado por seu trabalho." Uma terceira: "Os amigos disseram que ele estava 'simplesmente fantástico', você fez um ótimo trabalho, meu amigo!"

O sentimento de realização que Trevor claramente deriva do seu trabalho não se baseia no status atrelado à função: ser um embalsamador dificilmente é uma profissão de prestígio. Como o próprio Trevor reconhece: "O Ocidente teme a morte, e nove entre dez pessoas realmente se surpreendem quando eu conto que sou embalsamador." O que torna esse trabalho tão gratificante é o respeito que ele inspira.

Por respeito não quero dizer ser tratado com deferência pelos demais, como algum chefão da Máfia. Estou falando de ser apreciado por aquilo que agregamos pessoalmente ao trabalho e de ser valorizado por nossa contribuição individual. No caso de Trevor, esse senso de respeito vem dos membros da família do falecido, que valorizam suas habilidades como embalsamador. Mais comumente, podemos conquistar o respeito dos colegas de trabalho que nos elogiam por nossa habilidade organizacional ou pelo nosso intelecto criativo.

Embora a maior parte das pessoas deseje experimentar uma certa dose de status social, o sentimento de que somos respeitados pelos outros por aquilo que fazemos e pela forma como fazemos é uma das chaves para alcançar uma carreira gratificante. Como o sociólogo do trabalho Richard Sennett explica, o respeito nos permite sentir como "um ser humano completo cuja presença faz-se importante".[41] Não é à toa que isso apareça como um dos principais fatores nas pesquisas sobre satisfação no trabalho. A lição é que, em nossa busca por um trabalho que nos realize, devemos procurar um emprego que ofereça não apenas boas perspectivas de status, mas boas perspectivas de alcançar o respeito dos colegas. Isso talvez signifique evitar grandes organizações burocráticas em que os esforços individuais são raramente reconhecidos e encontrar um local de trabalho em que os empregados sejam tratados como seres humanos únicos e parte de uma comunidade de iguais. Quem sabe, você talvez possa até mesmo se realizar trabalhando em uma funerária.

Quero fazer a diferença

"Quero fazer a diferença" é uma frase que pode ser ouvida entre os universitários que percorrem os meandros de suas faculdades em busca de orientação profissional, e também entre os profissionais na faixa dos 30 anos que se frustram pelo tempo que passam lidando com e-mails entediantes ou produtos de marketing pelos quais não se interessam. Eles querem algo a mais: querem fazer uma contribuição positiva para as pessoas e o planeta e colocar seus valores em prática. É um desejo cada vez mais comum, mesmo em nossa era de individualismo desenfreado, e que se parece com a aspiração dos antigos gregos de realizar algo nobre e virtuoso que confira às suas vidas um senso de propósito e garanta sua imortalidade na memória da história.[42] Queremos ser capazes de, na velhice, olhar para trás e sentir que deixamos nossa marca.

A maioria das pessoas sabe intuitivamente que fazer a diferença é um caminho promissor para uma carreira realizadora. Isso se confirma pelas evidências. Um estudo importante de trabalho ético feito por Howard Gardner, Mihaly Csikszentmihalyi e William Damon demonstra que quem realiza o que chamam de "bom trabalho" — que se define como "o trabalho de grande qualidade que beneficia a sociedade como um todo" — consistentemente apresenta altos níveis de satisfação profissional.[43] O filósofo da moral Peter Singer concordaria. Ele argumenta que nossa maior esperança de alcançar realização pessoal é dedicando nossa vida — e, se possível, nossa vida de trabalho — a uma "causa transcendente", maior do que nós mesmos, especialmente uma causa ética, como direitos dos animais, diminuição da pobreza ou justiça ambiental.[44] Tais visões baseiam-se em profundas tradições de pensamento religioso que promovem a ideia de que a doação por meio do trabalho é espiritualmente edificante. Como afirmou Martin Luther King: "Todos podem ser grandes porque todos podem servir."

A questão é como fazê-lo. Muitas vezes as pessoas partem do pressuposto de que carreiras éticas são principalmente centradas em instituições de caridade ou no serviço público; por exemplo, trabalhar em um abrigo para os sem-teto ou como professora para crianças portadoras de deficiência em uma escola estadual. Entretanto, uma das maiores revoluções do mercado de trabalho moderno é que hoje em dia existe um número muito maior de oportunidades de trabalho para fazer a diferença, como descobriu Clare Taylor.

Depois de se formar em engenharia, Clare conseguiu emprego como consultora de engenharia em São Francisco e depois foi para uma pequena empresa de software por um salário melhor. Ao mesmo tempo que construía sistemas de gerenciamento de conteúdo para a Sony, para que as pessoas recebessem atualizações on-line de suas séries favoritas, Clare começou a trabalhar para uma organização de notícias chamada Internews, ajudando palestinos a usar a internet para divulgar notícias sobre a violência de que eram vítimas. Foi quando ela teve um momento de revelação política, percebendo que se importava muito mais com a justiça social do que com o aumento dos lucros corporativos da Sony. "Tive uma epifania", afirma Clare. "De repente descobri de que lado eu estava."

Ela então abandonou o emprego virtual e voltou para sua casa na Irlanda a fim de recomeçar a vida. Chocada pela voracidade materialista do *boom* do Tigre Céltico, Clare decidiu se arriscar e agir:

> Sem qualquer experiência editorial, usei minhas últimas economias para lançar uma revista com o objetivo de mudar a cultura. Chamava-se *YOKE: Free Thinking for the World Citizen*. Durou dois anos, recebeu razoável atenção da mídia e alguns ótimos colaboradores, incluindo Isabel Allende, Pico Iyer e Jeanette Winterson. Eu vivia do seguro-desemprego e morava em uma quitinete, administrando a revista da minha mesa, que ficava debaixo do beliche, no canto da sala. Embora estivesse sem um tostão furado, sentia que era exatamente isso o que eu deveria estar fazendo.

Clare teve que encerrar as operações da revista quando engravidou. Desde então, já trabalhou para uma ONG que trata da economia da sustentabilidade, para um órgão do governo que elabora políticas de energia renovável e como pesquisadora para programas de televisão sobre desenvolvimento sustentável. Embora não saiba exatamente qual será seu novo desafio, Clare permanece comprometida com a luta contra o que ela chama de “marcha da morte do consumismo”.

> Minha busca profissional teve seu custo em termos financeiros, mas a experiência enriqueceu a minha vida. Pessoalmente, não poderia trabalhar para uma causa na qual eu não acreditasse — isso é uma parte muito significativa do meu trabalho. Certa vez, conversei com um amigo do meu pai sobre as escolhas que fazemos na vida e a estranha transformação das ideias em realidade. Ele me disse que a vida era curta e que eu deveria usá-la para fazer as coisas que eu nasci para fazer. No dia seguinte, ele teve um ataque cardíaco

> e faleceu. Nosso tempo aqui é curto e devemos estar dispostos a assumir riscos e a quebrar a cara, mas nunca desistir de viver em um mundo melhor. O que está em jogo é muito mais importante do que qualquer uma das recompensas que o status ou o dinheiro podem oferecer na rotina diária.

Os esforços de Clare para fazer a diferença a levaram do jornalismo on-line e da publicação literária a campanhas ecológicas, trabalho com políticas públicas e à televisão. Isso é muito mais diversificado do que teria sido possível há um século, quando as carreiras éticas eram em grande medida limitadas ao trabalho missionário e a poucas profissões, como enfermagem. Mas qualquer que seja o caminho escolhido, existem dois desafios que qualquer pessoa que queira fazer a diferença terá que enfrentar.

O primeiro diz respeito ao impacto de suas ações. Uma das maiores frustrações é que muitas vezes é difícil ver, em termos concretos, qual a diferença que o nosso trabalho realmente está fazendo. Sei disso por experiência pessoal, após passar anos como consultor acadêmico e de desenvolvimento, escrevendo sobre pobreza e direitos humanos na América Latina. Será que todas aquelas palavras que eu estava produzindo estavam realmente ajudando a melhorar o dia a dia daquelas pessoas? Eu me senti muito melhor quando fiz uma importante mudança na minha carreira e comecei a administrar um projeto comunitário em Oxford, minha cidade natal, onde os efeitos do meu trabalho eram muito mais visíveis. Mas logo fiquei preocupado, pensando que não estava fazendo a diferença em uma escala suficientemente ampla.

Um segundo desafio são as tensões que podem surgir entre fazer a diferença e ganhar dinheiro. Na experiência de Clare Taylor, realizar um trabalho que incorporasse seus valores envolveu um evidente sacrifício financeiro. Mas o surgimento de novos setores econômicos, tais como a empresa social, levanta a possibilidade de desfrutar tanto recompensas intrínsecas, sendo fiéis às nossas crenças, quanto recompensas extrínsecas, ganhando dinheiro. A carreira de Anita Roddick, fundadora da cadeia de cosméticos Body Shop, pode nos ajudar a dissecar essas questões.

Até falecer, em 2007, Roddick era uma das empresárias mais bem-sucedidas e admiradas do mundo, famosa por ter trazido a ética ao mundo empresarial. Mas a Body Shop não começou como um negócio orientado por valores. Quando abriu a primeira loja em Brighton, em 1976 — depois de ter sido proprietária de uma pousada e de uma lanchonete, empreendimentos que faliram —, Roddick estava apenas tentando ganhar dinheiro suficiente para sobreviver. Ela pedia que os clientes devolvessem as garrafas para que fossem reabastecidas não por razões ambientais, mas financeiras. "Tudo era determinado pelo dinheiro, ou melhor, pela falta dele", ela escreveu em suas memórias.[45]

Aos poucos, porém, valores começaram a ser incorporados ao negócio, transformando a Body Shop em uma empresa orientada para fazer a diferença e também cremes faciais. Além disso, ela gerava lucro, embora a intenção não fosse maximizá-los. "Sou contra maximizar os lucros para satisfazer os investidores", afirmava Roddick sem rodeios. Em vez disso, o cerne da filosofia da empresa era "a necessidade de reinventar o trabalho, associando a ele um sistema de valores [...] somos uma empresa que cuida do cabelo e da pele e que trabalha para favorecer mudanças sociais positivas".

O que isso significava na prática? Uma primeira iniciativa, trabalhando em conjunto com o marido, Gordon, foi utilizar a frota

Anita Roddick, nos primeiros dias da Body Shop, na década de 1970. Ela passou a acreditar na "necessidade de reinventar o trabalho, associando a ele um sistema de valores".

de caminhões para promover causas sociais, como colar fotos de pessoas desaparecidas nas laterais com o número de um disque--denúncia. Dentro de algumas semanas, eles haviam recebido 30 mil chamadas e várias das pessoas desaparecidas foram encontradas. Em 1988, estabeleceram em uma área carente de Glasgow a Soapworks, uma empresa social e fábrica de sabão que canalizava os lucros para a comunidade local. Em 1991, o investimento inicial da Body Shop Foundation foi usado para lançar a *Big Issue*, uma revista vendida por pessoas sem teto, que agora existe em oito países e vende 300 mil cópias por semana. A Body Shop também foi pioneira nas relações comerciais justas, trabalhando com comunidades indígenas no Brasil e de outros países para comprar diretamente delas os ingredientes para seus produtos. Roddick, mais tarde, usou a empresa como uma máquina política para fazer campanha pelos direitos do povo Ogoni, cujas vidas estavam sendo destruídas pela extração de petróleo feita no delta do rio Níger pela Shell.[46]

Ao longo dessas décadas, o sentido de realização de Roddick com seu trabalho — e a satisfação apreciada por muitos de seus empregados — desenvolveu-se a partir da radical pauta sociopolítica da empresa. Sendo assim, poderíamos concluir que a iniciativa privada oferece um potencial enorme para aqueles que buscam uma carreira significativa, baseada em valores. Mas não é bem assim. Mesmo alguém tão brilhante e carismática — e dominadora — como Roddick não poderia sobreviver sem fazer sérias concessões éticas.

"Um dos maiores erros que cometi foi abrir o capital e entrar no mercado de ações", ela admitiu.[47] Depois disso, obrigações crescentes em relação aos acionistas, investidores e gerência corporativa começaram a corroer a fibra moral da Body Shop. Os problemas surgiram no início da década de 1990, quando a alta gerência se opôs à sua campanha contra a Guerra do Golfo, argumentando que isso prejudicaria as vendas. Consultores foram contratados para reestruturar a empresa e torná-la mais lucrativa, reduzindo as possibilidades de iniciativas sociais.[48] Assim que Roddick deixou de ser CEO, no final da década de 1990 — alguns dizem que ela foi forçada a sair —, a Body Shop perdeu seu ímpeto ético. Hoje, a empresa faz parte do grupo corporativo L'Oréal e prega só da boca para fora os valores que uma vez defendia.

É uma história interessante, que revela o desacordo potencial que pode surgir quando tentamos ganhar dinheiro e fazer a diferença ao mesmo tempo: não é fácil combinar um empreendimento com ética.

Em vez de esperar criar uma união harmoniosa entre a busca por dinheiro e valores, talvez tivéssemos mais sorte tentando combinar valores com talento. Essa ideia é cortesia de Aristóteles, a quem é atribuída a seguinte frase: "Onde as necessidades do mundo e os seus talentos se cruzam, aí está a sua vocação." Esta pode ser a orientação vocacional mais útil dos últimos 3 mil anos, com a qual Anita Roddick provavelmente teria concordado. Todos nós podemos pensar em direcionar nossos dons e habilidades específicos para os principais dilemas sociais, políticos e ecológicos do nosso tempo. Embora possamos acreditar que não existem carreiras éticas que facilmente acomodem nossos talentos ou conhecimentos, quase qualquer habilidade profissional pode ser aplicada em um trabalho que faça a diferença: podemos usar nosso talento de marketing trabalhando para uma cadeia de fast-food ou para uma fundação que pesquisa sobre o câncer; podemos oferecer a nossa experiência em contabilidade para um banco de investimento ou para uma instituição de caridade ligada à saúde mental. No final das contas, a escolha é nossa.

- *Onde seus talentos encontram as necessidades do mundo?*

Como cultivar paixões e talentos

Embora uma carreira ética seja um caminho intrinsecamente gratificante para a felicidade, também existe a opção de se concentrar em suas paixões e seus talentos. Esqueça dinheiro, status ou até mesmo fazer a diferença: faça o que gosta e aquilo em que você é realmente bom. Em todos os meus anos como consultor, quando converso com as pessoas sobre seus trabalhos, nunca me deparei com um exemplo melhor do que o de Wayne Davies.

Durante mais de duas décadas, Wayne, que cresceu na Austrália, foi treinador profissional e jogador de "tênis real", um esporte medieval não muito conhecido. Precursor do tênis moderno, o tênis real é jogado em uma quadra coberta onde a bola pode ricochetear nas paredes e em que os pontos são ganhos por acertar alvos. Existem apenas 45 quadras e 5 mil jogadores em todo o mundo (por acaso, eu sou um deles). Wayne ficou tão encantado com o tênis real quando o descobriu em 1978 que, em poucos meses, pediu demissão do trabalho como professor de ciências do ensino médio, aceitou uma enorme redução salarial e começou uma nova carreira como técnico assistente em Melbourne. Demorava quase três horas para chegar ao trabalho às oito da manhã, todos os dias. Uma vez eu lhe perguntei qual era a melhor coisa sobre ser profissional do tênis real. "Jogar tênis", respondeu ele, como se eu tivesse feito uma pergunta muito estúpida. Ele imediatamente continuou. "Qual é a melhor coisa que se pode fazer na vida? Jogar tênis. Isso é o que eu acho. A vida é uma quadra de tênis. Eu nunca estou mais feliz do que quando estou jogando uma boa partida — nada tem a mesma importância."

Depois de se tornar o diretor do clube de tênis real na cidade de Nova York, Wayne dedicou sua vida inteira ao jogo, dormindo num colchão no clube, para poder acordar e praticar de madrugada durante quatro horas antes de começar a cumprir as funções de treinador. Ele às vezes praticava até mesmo no meio da noite, de pijama. "Se você quer ser bom em alguma coisa", ele me disse, "precisa ter foco". Esse era um homem obcecado, até mesmo possuído. Qual o resultado? Tornou-se campeão mundial do esporte em 1987, reinando invicto por quase oito anos.[49]

Duas coisas deixaram Wayne plenamente realizado em sua carreira, além da glória das vitórias nos torneios. Primeiro, ele sentiu que estava realizando o seu potencial como atleta, forçando seus talentos aos limites máximos possíveis. Segundo, ele conseguiu reunir sua grande paixão com o trabalho. Seguir esta última estratégia, no entanto, é uma escolha controversa. Embora algumas pessoas jurem que transformar seus hobbies ou interesses em trabalho tenha sido definitivo para a realização, outras alegam que foi um erro terrível. Você talvez adore construir modelos de trens, mas abrir uma empresa para vendê-los on-line, com todas as tensões envolvidas, poderia drenar toda a alegria de sua paixão e deixá-lo com saudades daquelas tardes chuvosas de domingo quando você se distraía com os motores e não tinha números de vendas com que se preocupar.

Este é um tema que abordarei mais adiante quando falarmos sobre liberdade, mas no cômputo geral acho que misturar diversão e trabalho geralmente vale o risco de contaminação potencial.

Como o crítico cultural Pat Kane argumenta, devemos nos esforçar para desenvolver uma "ética da diversão" em nossas vidas, o que coloca "você mesmo, suas paixões e seus entusiasmos no centro do mundo".[50] O escritor francês François-René de Chateaubriand fez um comentário semelhante há mais de cem anos:

> Um mestre na arte de viver não faz uma distinção nítida entre trabalho e diversão; trabalho e lazer; mente e corpo; instrução e recreação. Ele dificilmente sabe qual é qual. Simplesmente segue sua visão de excelência em tudo o que está fazendo e deixa os outros determinarem se ele está trabalhando ou se divertindo. Para si mesmo, ele sempre parece estar fazendo as duas coisas.

Existe outro dilema que aguarda aqueles com a intenção de seguir os seus talentos ou paixões no trabalho, que é se devemos procurar ser especialistas, nos concentrando em uma única profissão, ou generalistas, desenvolvendo nossos vários talentos e paixões em diferentes ramos do saber. Essa questão, para mim, envolve decidir se devemos aspirar ao sucesso como um realizador específico ou como um realizador amplo.

Durante mais de um século, a cultura ocidental nos diz que a melhor maneira de usar nossos talentos e de ser bem-sucedido na vida é nos tornarmos especialistas em um campo específico, como fez Wayne Davies. Essa ideologia está, em grande medida, enraizada na divisão do trabalho que surgiu durante a Revolução Industrial, separando a maioria das tarefas em pequenos segmentos a fim de aumentar a eficiência e os níveis de produção. Assim, hoje em dia muitas pessoas são direcionadas a trabalhar em um campo limitado, por exemplo, como especialista em tributação corporativa, bibliotecário de referência especializada ou anestesista.[51] A especialização pode funcionar muito bem se você tiver as habilidades necessárias para realizar essas funções ou se for apaixonado por uma área específica do trabalho, e, é claro, também existe o benefício de você se sentir orgulhoso por ser considerado um especialista na área. Mas há também o perigo de ficar insatisfeito com a repetição inerente a muitas profissões especializadas: estudos com cirurgiões revelam que aqueles que realizam somente operações em amígdalas ou apêndices em breve começam a se sentir entediados e infelizes em seus trabalhos lucrativos.[52]

Além disso, nossa cultura da especialização é conflitante com algo que a maioria de nós reconhece intuitivamente, mas que os consultores de carreira estão apenas começando a compreender: cada um de nós tem múltiplos eus. Segundo Herminia Ibarra, uma das mais importantes pensadoras acadêmicas sobre mudança de carreira,

> nossa identidade de trabalho não é um tesouro oculto esperando para ser descoberto nas profundezas do nosso ser — pelo contrário, ela consiste em diversas possibilidades [...] somos diversos eus.[53]

De fato, não precisamos achar que ser, digamos, professor de inglês do ensino médio seja a única carreira que nos pode trazer realização. Contamos com experiências, interesses, valores e talentos complexos e multifacetados, o que pode significar que também podemos nos realizar como web designers, policiais comunitários ou produzindo café orgânico.

Essa é uma ideia potencialmente libertadora, com implicações radicais. Acena com a possibilidade de encontrarmos realização na carreira escapando do confinamento da especialização e cultivando nossos potenciais como realizadores amplos. Só então poderemos ser capazes de desenvolver os muitos lados do nosso ser, permitindo que as diversas pétalas de nossas identidades possam se abrir plenamente. Existem duas abordagens clássicas para sermos realizadores amplos: nos tornarmos um "generalista renascentista", com diversas carreiras simultâneas, ou um "especialista serial", nos dedicando a uma atividade de cada vez.

A primeira opção é modelada pelo ideal da Renascença de que a plenitude humana é alcançada se fizermos tudo o que pudermos para alimentar a diversidade de nossos talentos individuais e as inúmeras dimensões de nossas personalidades. O maior generalista da Renascença talvez tenha sido Leonardo da Vinci. Ele não foi apenas pintor, mas também engenheiro, inventor, naturalista, filósofo e músico. Folheie os cadernos dele e você encontrará esboços sobre uma incrível variedade de assuntos: desenhos da anatomia dos cavalos, projetos de máquinas voadoras, pesquisas sobre fetos humanos, observações astronômicas, desenhos de figurinos teatrais, estudos sobre fósseis, para listar apenas alguns. Como o crítico de arte Kenneth Clark diz, Leonardo foi "o homem com a mais incansável curiosidade da história".[54] Em termos de atividades profissionais, isso significava que ele, na mesma semana, poderia estar criando uma máquina de guerra para um duque ávido por poder, pintando o retrato de um mecenas das artes e, nas horas vagas, estudando o movimento das nuvens. A história jamais conheceu um realizador amplo mais completo.

Leonardo foi um exemplo pioneiro do que hoje é conhecido como um "trabalhador de portfólio", um termo cunhado pelo pesquisador sobre gestão Charles Handy. Um trabalhador de portfólio desenvolve uma variedade ou "portfólio" de carreiras, cada qual em meio expediente e, muitas vezes, como freelancer. Portanto, você pode trabalhar como economista três dias por semana, depois passar o resto dos dias trabalhando por conta própria como fotógrafo de casamentos ou como um vendedor de livros on-line. Ou pode preferir desenvolver a mente e o corpo, dividindo seu tempo entre as funções de programador de software e professor de balé. Handy acreditou que essa era uma estratégia de sobrevivência inteligente em épocas de economia turbulenta, já que reduzia os riscos do desemprego. Mas não precisamos pensar sobre o trabalho de portfólio apenas em termos tão negativos. Seguindo uma perspectiva renascentista mais positiva, buscar diversas carreiras ao mesmo tempo é uma maneira de prosperar e de ser fiel aos nossos múltiplos eus.

Tornar-se um generalista renascentista traz múltiplos desafios, e a perspectiva de insegurança financeira causada pelos instáveis trabalhos de freelancer não é uma preocupação a ser desconsiderada — esta é uma questão à qual voltarei mais adiante. Assim, pode ser que você se sinta mais confortável entregando-se a seus diversos talentos e paixões como um especialista serial. Em vez de buscar diversas carreiras ao mesmo tempo, podemos nos imaginar seguindo três ou quatro atividades muito diferentes em sucessão — talvez começando por relações públicas, depois, gerindo um albergue da juventude, e então trabalhando como jardineiro autônomo. Essa abordagem para se tornar um realizador amplo faz sentido num mundo em que a idade da aposentadoria é cada vez menor e a vida produtiva, cada vez mais longa: sobra mais espaço para encaixar diversas carreiras. Mesmo uma mudança substancial de carreira pode nos libertar de uma profissão que perdeu seus atrativos e nos permitir explorar outros lados de nós mesmos.

Considere o exemplo de Lisa Brideau, uma ex-engenheira aeroespacial que prestava serviços como projetista da NASA. Alguns anos após descobrir que a engenharia aeroespacial não chegava nem perto de ser tão fascinante quanto ela achou que seria, e sentindo que não era especialmente boa naquilo, Lisa começou a procurar por algo novo:

> No fim, vi que a resposta estava bem ao meu redor, nos subúrbios horrorosos de Wisconsin, onde eu morava: planejamento urbano. A existência de amontoados urbanos desprovidos de alma me deixava enfurecida a ponto de eu sentir que precisava fazer alguma coisa a respeito. Foi um tiro no escuro. Li alguns livros sobre o assunto, entrei para um curso preparatório sobre geografia urbana na universidade local e depois me candidatei à pós-graduação em algumas escolas de planejamento. Depois de conseguir o diploma de mestre, fui trabalhar no setor de planejamento de uma cidade muito progressista. Tive que dar duro para avançar na carreira, mas isso só me deu mais tempo para desenvolver o ofício. Até o momento, trabalhar com planejamento urbano tem sido incrível — infinitamente fascinante.
>
> Tive a sorte de contar com os recursos financeiros para voltar a estudar, mas o que realmente facilitou minha mudança de carreira foi que nunca pensei em ter apenas uma única profissão. Existem tantas coisas interessantes por aí — por que fazer

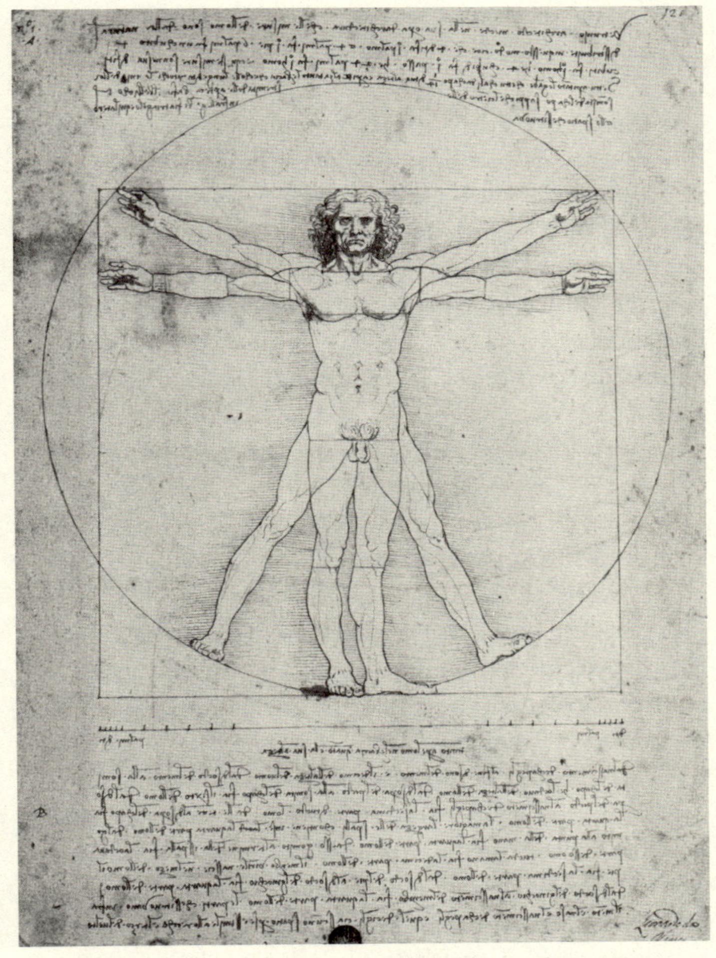

O *Homem Vitruviano* de Leonardo, com os braços estendidos, é o símbolo quintessencial do realizador amplo renascentista.

> apenas uma coisa para sempre? Acho que todo mundo devia largar o emprego ao menos uma vez na vida.

Lisa é uma especialista serial por natureza. Sua ideia de trocar de carreira ao menos uma vez na vida pode ser um sábio conselho, especialmente porque, como já descobrimos, nossas motivações e ambições evoluem ao longo da vida e muitas vezes somos péssimos juízes dos nossos interesses futuros. O percurso de um especialista serial pode ser exatamente aquilo de que precisamos para suprir nossos diversos talentos e paixões e nos levar em direção às diferentes vidas que, como sementes sob a neve, estão adormecidas em nosso íntimo.

- *Como seria a sua vida se você fosse um realizador amplo?*

Imaginando seus diversos eus

Após pesquisar as diversas motivações que oferecem sentido, parece que o prêmio de trabalho mais significativo vai para aqueles que buscam atividades intrinsecamente recompensadoras que fazem a diferença, que se utilizam de seus talentos, que refletem as suas paixões — ou que envolvem uma combinação inebriante desses três fatores. Apesar de todos desejarmos dinheiro e status em certo nível, escolher nossa carreira com base nessas motivações extrínsecas dificilmente vai oferecer profundezas sublimes de sentido para nossas vidas.

Agora, precisamos ser práticos e aplicar o que aprendemos sobre esses cinco fatores de motivação para criarmos opções concretas de um emprego que nos ofereça uma carreira plena e edificante. Isso não é uma questão de descobrir aquele único emprego dos sonhos, que parece satisfazer todas as nossas expectativas — esse é um ideal mítico que sabiamente devemos abandonar. Em vez disso, trata-se de identificar uma variedade de possibilidades refletindo nossos diversos eus, que poderemos "testar" mais tarde, na realidade. Aqui estão três atividades complementares que recomendo para ajudar com essa tarefa.

O mapa das escolhas

A primeira se chama Mapa das Escolhas e foi criada para que você possa refletir sobre o lugar de onde veio, antes de se voltar para onde vai. Pode começar usando dez minutos para traçar um mapa do percurso de sua carreira até agora. Pode ter qualquer forma — uma linha em zigue-zague, os ramos de uma árvore ou talvez um labirinto. Nesse mapa, você deve indicar não apenas as funções que desempenhou, mas as diferentes motivações e forças que moldaram seu trajeto. Se uma importante decisão de carreira foi influenciada pela perspectiva de mais dinheiro ou status, mostre isso no mapa — faça o mesmo se a motivação tiver vindo de seus talentos, paixões ou valores. Você também deve acrescentar outros fatores que podem ter guiado seu percurso, tais como o papel das suas escolhas educacionais, das expectativas dos seus pais, do aconselhamento profissional sobre carreiras ou do acaso. Mesmo que você só tenha tido um emprego, procure mapear o que o levou até ele.

Após criar seu mapa, passe mais dez minutos olhando para ele e pensando sobre as três questões a seguir:

- *O que seu mapa revela sobre a sua atitude quanto à sua vida profissional até agora? Pode haver padrões gerais visíveis, tais como o fato de você não se manter num mesmo cargo por mais de dois anos, ou de você cair de paraquedas na maioria dos empregos sem escolhê-los de fato.*
- *Quais das seguintes motivações mais pesaram em suas escolhas de carreira: dinheiro, status, respeito, paixão, talento ou vontade de fazer a diferença? (Classifique-as da prioridade mais alta para a mais baixa.)*
- *Dessas motivações, quais são as duas que você mais deseja como determinantes de suas escolhas futuras, e por quê?*

Anote suas respostas e prepare-se para a próxima atividade.

Vidas Imaginárias

Vidas Imaginárias é um experimento de reflexão que adaptei de dois importantes pensadores sobre a mudança de carreiras, Julia Cameron e John Williams, cujo objetivo é aproximar suas ideias de opções específicas de trabalho.[55] É simples, mas com um imenso potencial.

- *Imagine cinco universos paralelos nos quais você passará um ano de cada vez, podendo buscar absolutamente qualquer carreira que desejar. Agora pense em cinco diferentes empregos que você gostaria de experimentar em cada um desses universos.*

Tenha ideias ousadas, divirta-se com suas inspirações e seus múltiplos eus. Suas cinco escolhas podem, quem sabe, ser fotógrafo de comida, membro do Parlamento, instrutor de tai chi, empresário social gerindo um projeto para educação de jovens e um realizador amplo agindo como generalista da Renascença. Conheço uma pessoa que fez essa atividade — um documentarista que estava repensando a carreira — que listou massagista, escultor, violoncelista, roteirista e dono de bar numa pequena e antiquada ilha das Canárias.

Agora, volte para a Terra e considere suas cinco opções com atenção. Escreva o que vê de atraente nelas. Volte a observá-las e pense sobre a seguinte questão:

- *Como cada uma se compara em relação às duas motivações da atividade anterior que você escolheu priorizar no futuro?*

Se você decidiu, por exemplo, que deseja uma combinação de fazer a diferença e ter um alto status, verifique se suas cinco carreiras imaginárias podem atender a essas motivações. A ideia é ajudar você a pensar mais profundamente sobre o que procura numa carreira e o tipo de experiência que realmente almeja.

Anúncio Pessoal de Emprego

Essas duas atividades provavelmente estimularam algumas ideias mais nítidas sobre possibilidades genuínas de carreira, mas não pressuponha que seja você o melhor juiz para avaliar o que lhe proporcionará mais realização. Escrever um Anúncio Pessoal de Emprego permite buscar os conselhos de outras pessoas.

O conceito por trás desta tarefa é o contrário se comparado à busca tradicional por uma carreira: imagine se os jornais não anunciassem empregos, mas pessoas em busca de empregos.

Você pode fazer isso em duas etapas. Primeiro, escreva um anúncio de meia página contando ao mundo quem você é e que aspectos da vida são importantes para você. Liste seus talentos (por exemplo, você fala mongol e toca contrabaixo), suas paixões (como *ikebana*, mergulho com cilindro de oxigênio) e os principais valores e causas em que acredita (preservação da vida selvagem, direitos das mulheres etc.). Inclua suas qualidades pessoais (se você tem um raciocínio ágil, se é impaciente, se tem pouca autoconfiança etc.). E registre tudo o mais que seja importante para você — a remuneração mínima ou o desejo de trabalhar em outro país. *Não* inclua nenhum emprego específico de seu interesse, nem suas qualificações escolares ou histórico profissional. Mantenha o anúncio no nível de suas motivações e interesses subjacentes.

E aqui está a parte intrigante. Faça uma lista de dez pessoas que você conheça de diferentes caminhos da vida, distribuídas por diferentes carreiras — talvez um tio policial ou um amigo cartunista — e envie-lhes um e-mail com seu Anúncio Pessoal de Emprego pedindo que recomendem duas ou três carreiras que possam se ajustar ao que você escreveu. Diga-lhes que sejam específicos — por exemplo, sem respostas do tipo "você deveria trabalhar com crianças", mas "você deveria fazer trabalho de caridade com as crianças de rua do Rio de Janeiro".

Provavelmente, você acabará com uma lista eclética de carreiras, muitas das quais jamais imaginaria para si mesmo. O objetivo não é apenas lhe apresentar ideias surpreendentes de futuras carreiras, mas também ajudá-lo a perceber seus inúmeros eus possíveis.

Após essas três atividades e tendo explorado as múltiplas dimensões do sentido, você se sentirá mais confiante para fazer uma lista de carreiras potenciais que oferecem a promessa de um trabalho repleto de significado. O que fazer a seguir? Com certeza, não é começar a enviar currículos. Em vez disso, como os próximos capítulos explicarão, a chave para encontrar uma carreira realizadora é experimentar as possibilidades naquele lugar assustador que se chama mundo real. É hora de embarcar num "período sabático radical".

4. Aja primeiro, reflita depois

Em busca da coragem

Em 1787, a feminista pioneira Mary Wollstonecraft largou o emprego de governanta de uma família rica na Irlanda e iniciou uma carreira precária como escritora, num momento da história em que praticamente nenhuma mulher fazia isso. Em 1882, Paul Gauguin desistiu de seu emprego estável e bem-sucedido como corretor de ações em Paris para se tornar artista em tempo integral. Aos 30 anos, Albert Schweitzer deixou para trás sua brilhante carreira como organista e acadêmico teológico em Estrasburgo para estudar medicina, viajando para os trópicos africanos em 1913 a fim de abrir um leprosário.

Enquanto algumas pessoas se sentem inspiradas por essas histórias corajosas de mudança de carreira, outras se sentem incapazes e até intimidadas. Por quê? Porque apesar de sonharmos com uma mudança de carreira, muitas vezes nos falta coragem para isso. Metade dos trabalhadores ocidentais está insatisfeita com seus empregos, mas cerca de um quarto dessas pessoas é temerosa demais para embarcar em qualquer mudança, aprisionadas por seus medos e sua falta de autoconfiança.[56] "Se o mergulhador preocupa-se apenas com o tubarão, jamais colocará as mãos na pérola", disse Sa'di, um poeta persa do século XIII. Belas palavras, mas esse tubarão pode estar constantemente em nossas mentes, impedindo--nos de mergulhar num futuro diferente.

Nós podemos ter identificado uma variedade de carreiras, ou “possíveis eus”, com a perspectiva de um trabalho realizador: talvez abrindo um pequeno negócio, fazendo um curso de direito ou tornando-se um tradutor autônomo. Mas como criar coragem para mudar — e fazer as escolhas certas ao longo do caminho? Dar esses passos essenciais para o desconhecido requer muito mais do que nos alimentarmos de pensamento positivo. Primeiro, é preciso compreender a psicologia do medo, e por que a ideia de mudar de profissão pode criar tanta ansiedade. Segundo, temos que começar a testar nossos possíveis eus na realidade, assumindo projetos experimentais, como “períodos sabáticos radicais”, “projetos de ramificação” e “pesquisa conversacional”, dos quais ainda trataremos. Finalmente, devemos explorar o conceito de “fluxo”, que não só é um dos três principais componentes do trabalho realizador — junto com sentido e liberdade —, como também pode nos ajudar a escolher de maneira clara entre as opções.

Gradualmente, ficará claro que nossa maior esperança para superar o medo da mudança e encontrar uma carreira que amplie nossos horizontes é rejeitar o modelo tradicional de mudança de carreira, que nos aconselha a planejar meticulosamente e depois agir, substituindo-o pela estratégia oposta, que é agir agora e refletir depois. Precisamos adotar o credo ousado de Leonardo da Vinci, “a experiência é minha mestra”.

Por que tememos a mudança

Quase todo mundo que contempla uma mudança de carreira se sente profundamente ansioso frente a essa possibilidade. Ainda que existam alguns afortunados que contam com a coragem mítica dos heróis gregos, como Odisseu, a maioria de nós é assombrada por temores que nos impedem de viajar por novos caminhos. Tememos que o trabalho não nos ofereça a satisfação esperada, ou que não sejamos bem-sucedidos no novo campo, ou que estejamos muito velhos para mudar, ou que não possamos assumir o risco econômico com um financiamento doméstico tão caro ainda por pagar, ou então que não possamos retornar ao nosso antigo emprego caso o plano de virarmos artistas de marionetes ou perfumistas não dê certo.

O medo do fracasso chega a ser quase uma aflição universal. Ouvi o sentimento ser expresso — em particular — por todo tipo de gente, de corpulentos oficiais militares a CEOs milionários, de ministros de Estado a romancistas famosos. "Revelo minhas inseguranças a muito poucos. Sou aparentemente confiante, mas, por dentro, não tenho certeza nem se chego a ser medíocre", me disse um premiado documentarista. "Será que eu consigo mesmo fazer isso?" é uma questão gravada na maioria das almas.

Pode servir de consolo saber que não estamos sozinhos com nossas incertezas. Quando Anne Marie Graham decidiu, depois de 12 anos, deixar o emprego de gerente de projeto em uma empresa de tradução e entrar para uma organização filantrópica de ensino de idiomas, estava ansiosa sobre o sucesso que poderia obter numa área em que tinha tão pouca experiência:

> Quando já passamos dos 30, é muito assustador largar algo que conhecemos de trás para a frente para nos dedicarmos a outra coisa sobre a qual nada sabemos. Houve momentos, naquele primeiro ano, em que me senti perdida, convencida de que estava fazendo um péssimo trabalho e que estava completamente fora do meu ambiente. Eu ia para as reuniões e achava que todo mundo parecia tão brilhante, e eu sabia que estava apenas fingindo ser igual a eles. Até que uma noite, ao conversar sobre minhas preocupações durante um jantar, meu colega de trabalho comentou que todos poderiam estar fingindo também. Essa sugestão começou a desfazer a nuvem de dúvida quanto às minhas próprias capacidades. Além disso, lembrei que meu antigo emprego também foi assustador no começo — mas tinha se passado tanto tempo que eu acabei esquecendo. Foi uma percepção que fez uma grande diferença para minha confiança.

No entanto, mesmo sabendo que muitos compartilham tais temores e que diversas pessoas são igualmente perdidas, repletas de dúvidas sob uma carapaça externa de autoconfiança, ainda precisamos compreender por que a ansiedade quanto a mudanças de carreira assombra uma parte tão grande de nossas vidas. Por que não podemos simplesmente afastá-la para longe, enviar o e-mail com o pedido de demissão e sair porta afora para fazer algo novo?

Uma resposta reside na atitude peculiar dos seres humanos em relação ao risco. Na década de 1970, os psicólogos Amos Tversky e Daniel Kahneman iniciaram uma série de experimentos para pesquisar como avaliamos perdas e ganhos potenciais e descobriram que odiamos perder duas vezes mais do que adoramos ganhar, seja numa mesa de jogos, seja diante de uma mudança de carreira. Segundo Tversky, "as pessoas são muito mais sensíveis aos estímulos negativos do que aos positivos [...] Existem algumas coisas que nos fazem sentir melhor, mas o número de outras que nos deixam piores é incontável".[57] Biólogos evolucionistas tentaram explicar por que temos esse viés tão negativo, que faz com que nos voltemos muito mais para as desvantagens do que para os benefícios. Especulam que pode ser pelo fato de os primeiros seres humanos terem desenvolvido uma alta sensibilidade ao perigo como forma de sobrevivência diante da aridez da savana africana: somos produtos do terror primitivo a que nossos ancestrais hominídeos estavam sujeitos. Aquele obscuro objeto ao longe poderia ser um arbusto carregado de frutos silvestres, mas também poderia ser um leão — o melhor era manter a distância.

Portanto, diante da mudança de carreira, somos psicologicamente predispostos a maximizar tudo o que pode dar errado. Da mesma forma, ao pensarmos sobre as chances de um novo emprego nos atender, a tendência é destacar nossas deficiências pessoais mais do que nossos pontos fortes. Costumamos dizer coisas como "Não tenho a mente financeira necessária para tocar uma empresa social" num tom mais alto do que "Sou ótimo para produzir ideias criativas". O resultado é que tendemos a ser extremamente cautelosos e a continuar em empregos que — ao menos em termos de realização — já passaram há muito tempo de seus prazos de validade.[58]

"Sem autoconfiança somos como bebês no berço", escreveu Virginia Woolf. Ela está certa. A questão, portanto, é como nos livrar de nossos temores, superar nossa aversão ao risco e descobrir a coragem de que precisamos para mudar.

Projetos experimentais, ou como ter trinta empregos em um ano

Laura van Bouchout finalmente decidiu que precisava de orientação profissional. Aproximando-se dos 30 anos, e já tendo passado por cinco empregos — a maioria envolvendo a organização de eventos culturais —, ela se sentiu num beco sem saída e incapaz de encontrar uma carreira que a apaixonasse. Felizmente, na Bélgica, onde ela mora, qualquer pessoa com mais de 12 meses de trabalho tem direito a sessões gratuitas de orientação profissional. Ela marcou um encontro e, após fazer um teste padrão de personalidade e responder a algumas perguntas gerais, foi-lhe dito que vinha trabalhando nos lugares errados para sua personalidade. Agora, a parte difícil: descobrir qual poderia ser o trabalho certo. O orientador disse a Laura para listar carreiras com as quais sonhava e trabalhos de famosos que admirava. Mas quando Laura voltou para a sessão seguinte com uma lista absurdamente longa, de várias páginas, o orientador ficou tão confuso quanto ela. "Ele não sabia por onde começar ou que conselho me dar", lembra. "Saí das sessões de aconselhamento sem uma resposta, mas, após ficar uns dois meses me lamentando com meus amigos, tive a ideia de arriscar e fazer uma experiência." E foi isso que ela fez:

> Decidi experimentar trinta empregos diferentes ao longo do ano em que faço meu 30º aniversário, dedicando o ano inteiro à minha busca por uma carreira. Portanto, estou trabalhando em meio expediente como programadora de eventos musicais para pagar as contas, e, nas horas livres, procuro pessoas que têm empregos dos sonhos para mim ou carreiras inte-

ressantes, e peço que me deixem acompanhá-las, ou mesmo trabalhar com elas, por pelo menos três dias. Até agora, já fui fotógrafa de moda, crítica de pousadas *bed-and-breakfast*, diretora de criação de uma agência de publicidade, proprietária de um hotel para gatos, membro do Parlamento europeu, diretora de um centro de reciclagem e gerente de um albergue para jovens.

Quanto mais empregos eu experimento, mais me convenço de que não é uma questão de estabelecer critérios e identificar os trabalhos que combinam com eles. É mais ou menos como sair com alguém. Quando eu era solteira, tinha uma lista mental das qualidades que achava que meu namorado deveria ter. Mas alguns caras, que atendiam a todos os critérios da minha lista, não me faziam sentir nada. Então chega uma hora em que você conhece alguém que não atinge metade dos seus critérios, mas que a deixa maluca. Acho que é isso que devemos procurar num emprego. Descobri isso enquanto acompanhava um diretor de publicidade; fiquei totalmente fascinada, mesmo que trabalhar numa agência de publicidade sequer chegasse perto de atender aos meus ideais. Então é possível que não seja uma questão de refletir e planejar, mas de tentar "sair" com vários empregos, experimentar todas as coisas até sentir aquele friozinho na barriga.

Ao longo de sua odisseia dos trinta empregos, Laura acabou encontrando a mais importante conclusão a que chegou nas últimas três décadas de pesquisa na área de mudança de carreira: agir primeiro, refletir depois.

Desde que Frank Parsons abriu seu Vocation Bureau em Boston, há mais de um século, a ideia convencional para encontrar uma nova carreira vinha sendo "planejar, depois implementar". Esse modelo normalmente começa com uma profunda exploração interna, com a criação de listas de qualidades e fraquezas pessoais, de habilidades, interesses e ambições, talvez com a ajuda de um teste psicométrico e de um consultor de carreiras. Depois disso, é feita uma cuidadosa pesquisa por diversas indústrias e profissões para encontrar aquela que melhor corresponde a suas preferências e habilidades. Após uma decisão final, a pessoa cria um plano de ação e começa a enviar currículos e se candidatar a empregos.

O problema com o modelo "planejar, depois implementar" é simples: raramente funciona. O que geralmente acontece é que acabamos em empregos que não combinam com a gente, pois não temos nenhuma experiência de como são na realidade. Como diria Laura, o emprego combina com a sua lista, mas não desperta sua paixão. Alternativamente, passamos tanto tempo tentando conceber o que seria a carreira perfeita, pesquisando incessantemente ou nos perdendo em meio a pensamentos confusos sobre a melhor opção, que acabamos não fazendo nada, suplantados pelos temores e pela procrastinação, aprisionados na armadilha paradoxal das escolhas, de que já tratamos anteriormente.

A arte da mudança de carreira pede que viremos a abordagem convencional de cabeça para baixo. Devemos nos libertar da mentalidade do planejamento racional e substituí-la pela filosofia do "agir primeiro, refletir depois". Ruminar numa poltrona ou perder-se pelos arquivos de um centro de pesquisas vocacionais não é o que precisamos. Temos que adotar uma maneira mais lúdica e experimental de ser, para *fazer e depois pensar*, e não *pensar e depois fazer*.

As pesquisas mais recentes demonstram que as mudanças bem-sucedidas requerem uma dose significativa de aprendizado experimental. Assim como não podemos aprender carpintaria com um livro, não podemos trocar de carreira sem atividades práticas. Primeiro, é preciso identificar uma variedade de "possíveis eus" — carreiras que consideramos capazes de nos oferecer propósito e sentido (o capítulo anterior deve nos ajudar com isso). Depois, como Laura, é preciso vivê-las na realidade mediante projetos experimentais. Após um período de "encontros" com empregos, estaremos em condição de tomar decisões melhores e mais concretas. Como afirma Herminia Ibarra:

> De longe, o maior erro que as pessoas cometem quando tentam mudar de carreira é esperar a definição de um destino para dar o primeiro passo [...] A única maneira de criar a mudança é colocando nossas possíveis identidades em prática, trabalhando e aprimorando-as até estarem suficientemente entranhadas com a experiência para orientarem passos mais decisivos [...] Aprendemos quem somos testando a realidade, não olhando para dentro [...] A melhor reflexão vem depois, quando estamos sob o impacto e quando existe algo sobre o que refletir.[59]

Os projetos experimentais podem ter três formas principais, que abordarei em ordem decrescente de desafio pessoal: períodos sabáticos radicais, projetos de ramificação e pesquisa conversacional.

Foram concebidos para se adequar a diferentes tipos de pessoas, com diferentes ambições de carreiras, em diferentes estágios de suas jornadas. Todos eles, no entanto, podem ajudar a indicar quais dos nossos possíveis eus oferecem as maiores perspectivas de realização.

Já tivemos contato com a primeira e a mais exigente forma, o período sabático radical. Foi a abordagem de Laura van Bouchout, que envolve conceder a si mesmo um período dedicado a projetos ativos, tais como se tornar a sombra de alguém e acompanhá-la em seu trabalho ou se voluntariar numa organização atraente. Laura deu a si mesma um presente de aniversário bem incomum: um ano inteiro para flertar com trinta possíveis futuros eus. Ela não tinha nenhum destino claro, apenas uma cesta cheia de ideias, e abriu espaço em sua vida trabalhando em meio expediente para se sustentar, o que a deixou com bastante tempo para se aventurar em suas experiências. Mas você também pode ir atrás de um período sabático radical — que também chamo de "trabalho de férias" —, tirando uma licença não remunerada de alguns meses ou usando algumas semanas de suas férias anuais. Na verdade, acho que seria uma boa ideia se todos nós passássemos ao menos uma semana por ano experimentando carreiras diferentes, mesmo nos sentindo felizes em nossos empregos atuais. Talvez não tenhamos nem ideia de que não estamos satisfeitos até mergulharmos num mundo alternativo. Quem sabe, administrar um hotel para gatos possa se mostrar inesperadamente recompensador?

Uma segunda forma de projeto experimental, mais comum, é o projeto ramificação, ou o que Ibarra chama de "missão temporária". Um dos mais frequentes mitos sobre a mudança de carreira é a crença de que é necessária uma mudança drástica para uma vida completamente diferente: chegamos ao trabalho na segunda-feira, vamos direto entregar nossa carta de demissão e então partimos para o desconhecido. Isso afasta praticamente todo mundo. Mas com o projeto de ramificação, uma estratégia tão arriscada não é necessária, pois se baseia em experiências breves em áreas periféricas à nossa atual carreira, nas quais testamos nossos possíveis eus. Além das opções de acompanhar outro profissional ou nos voluntariar, podemos fazer um curso de treinamento que nos permita sentir o gosto de uma carreira diferente, ou experimentar uma versão inicial e reduzida de um possível novo emprego.

Como exemplo da última opção, imagine que você se sente aprisionado em seu emprego de agente literário e está pensando em se tornar um professor de ioga. O que fazer? Pare de pensar sobre isso e tome uma atitude. Comece a dar aulas de ioga nas horas livres, talvez à noite, durante a semana ou nos fins de semana, para saber se isso realmente provoca aquela centelha de vida que você tanto deseja. Se isso acontecer, você pode ir aumentando gradualmente seus horários de aula, até se sentir com a confiança necessária para deixar a carreira antiga para trás.

Com efeito, você terá dado diversos pequenos passos com riscos relativamente pequenos, mas que podem levar a grandes resultados. A cada novo passo, mais confiante você se sentirá, o que torna a jornada progressivamente mais fácil e faz com que a sua inata e evolucionária aversão ao risco seja contornada. Você não vai mais ficar pensando se gostaria de dar aulas de ioga: após umas poucas aulas, já saberá se isso é a coisa certa para você, pois não há melhor maneira de aprender do que pela experiência direta. E se não sentir que é a coisa certa, pode então iniciar outro projeto ramificado para testar outro possível eu, talvez passando os sábados, durante um mês, ajudando um amigo que tem um site de roupas antigas. Pode levar algum tempo para experimentar múltiplos eus, mas existem provas de que essa parte é necessária para um processo de mudança bem-sucedido. "Decidimos a hora de parar sob nosso próprio risco", adverte Ibarra.[60]

Posso endossar pessoalmente a ideia de projetos ramificados, tendo eu mesmo participado de um que levou minha carreira a uma direção totalmente nova. Após muitos anos como diretor de projetos de uma pequena fundação, senti o desejo de sair de lá e começar a tocar minhas próprias oficinas sobre a arte de viver. Mas os riscos financeiros me preocupavam e eu me sentia igualmente ansioso sobre a possibilidade de ser bem-sucedido. Após conversar durante meses sobre isso com minha esposa — será que eu fico ou será que eu saio? —, ela sugeriu que eu parasse de falar, pegasse a minha agenda e marcasse a data da primeira oficina. Foi exatamente o que fiz. Enviei um e-mail para alguns amigos e recrutei dez cobaias. Sem ter um lugar adequado, fiz a primeira sessão na cozinha da minha casa, num sábado, sobre como repensar nossas atitudes sobre o amor e o tempo. Depois de mais alguns cursos de fins de semana à mesa da cozinha — enquanto eu ainda trabalhava na fundação —, procurei o QI Club em Oxford e perguntei se aceitariam incluir, como parte de sua programação de eventos públicos, um curso noturno sobre a arte de viver. Logo tornou-se uma atração regular, as aulas foram se tornando populares e, alguns meses depois, me senti seguro o bastante para largar meu emprego diurno, tendo superado o medo primitivo do fracasso.

O último formato de projeto experimental é a pesquisa conversacional. Um processo que talvez seja menos assustador do que um período sabático radical ou um projeto de ramificação, mas que pode ser igualmente eficaz. Trata-se simplesmente de conversar com pessoas que passaram por diferentes experiências de vida e que se dedicam ao tipo de trabalho que você se imagina fazendo. Pode parecer uma estratégia óbvia, mas vale a pena pensar por que conversar é um componente tão vital para qualquer mudança de carreira bem-sucedida.

Um dos maiores obstáculos à mudança é que ficamos aprisionados à rigidez do nosso círculo social e de colegas de trabalho. Se você é advogado e passa a maior parte do tempo com outros advogados ou profissionais da área, é provável que isso condicione seus ideais e aspirações: você pode sentir que precisa de um salário relativamente alto ou de uma casa bonita e férias de luxo, e que trabalhar sessenta horas por semana é completamente normal. Em outras palavras, nosso meio social determina fortemente o que o sociólogo alemão Karl Mannheim chamou de *Weltanschauung*, ou "visão de mundo" — nossa estrutura mental subjacente ao sistema de crenças e referências. O problema é que pode ser muito raro interagirmos com pessoas que veem o mundo de uma maneira muito diferente da nossa. Como Tolstói observou, a maioria das pessoas "instintivamente se mantém no círculo daqueles que compartilham suas visões sobre a vida e seu lugar dentro dela". Quando foi a última vez que você passou uma tarde com um criador de abelhas ou com um curandeiro xamânico?

O resultado é que nossas prioridades e nossos valores existentes são continuamente reforçados. Você pode sonhar em largar o direito e ir lecionar numa escola antroposófica, mas provavelmente concluirá que é uma ideia extravagante e pouco realista — assim como a maioria dos seus amigos. Como sei, por experiência própria, nossa visão de mundo é uma camisa de força psicológica que nos impede de ir atrás de novas possibilidades. Quando terminei a universidade, as únicas opções de emprego que considerava eram trabalhar num banco de investimentos, entrar para o serviço público ou me tornar jornalista. Por que a minha imaginação era tão extraordinariamente limitada? Porque essas eram as carreiras padrão consideradas pela maioria dos meus colegas. Assim como a maioria das pessoas, eu seguia a multidão. (Caso você esteja se perguntando, fui mal nas entrevistas com os bancos porque ficava falando da minha coleção de árvores bonsai em vez do câmbio; não passei nos concursos públicos; por isso, virei jornalista, mas não por muito tempo.)

Uma das melhores maneiras de escapar do confinamento imposto por nossas visões de mundo é variar o grupo de colegas e conversar com pessoas cujas experiências profissionais e cotidianas sejam muito diferentes das nossas. Se você realmente quiser largar o direito, pode ser sensato passar menos tempo com seus amigos advogados, por melhor companhia que sejam. Mais especificamente, você pode aprender muito conversando com pessoas que fizeram mudanças de carreira e seguiram pelos caminhos pelos quais você deseja enveredar. Se o que você realmente quer é lecionar numa escola antroposófica, que tal procurar um professor da escola de Steiner que antes tenha sido advogado ou médico e convidá-lo para um almoço? Se você se cansou do mundo acadêmico e quer se tornar um paisagista, faça todo o possível para encontrar um colega de faculdade que tenha dado esse passo ou feito alguma outra mudança radical.

A pesquisa conversacional também é uma estratégia particularmente positiva para conhecer carreiras difíceis de serem testadas em nossos projetos de ramificação. Imagine que você é um professor de ioga que considera a possibilidade de se tornar um agente literário. Ao contrário do que acontece com aulas de ioga, é difícil experimentar ser um agente literário: não é possível abrir uma miniagência no seu tempo livre e tentar atrair alguns autores para ver se você gosta disso. Um ponto de partida muito mais viável é usar qualquer contato que você tenha para marcar um encontro com um agente literário e conversar sobre os altos e baixos de seu dia a dia de trabalho, além de descobrir se os almoços editoriais são realmente tão demorados como dizem que são.

Essas conversas nos deixam mais próximos de entender as realidades em que as mudanças de carreira estão inseridas, com todos os seus prazeres e percalços. Ouvir histórias em primeira mão e fazer perguntas que nos intrigam ou preocupam vale muito mais do que ler sobre uma profissão num brilhante guia de carreiras e pode nos revelar uma imagem vívida, ainda que com nuances, de uma vida diferente à qual também podemos aspirar. Além disso, os estudos sobre mudança de carreira repetidamente mostram que a maioria das pessoas encontra novos trabalhos por intermédio de contatos pessoais e não por meios oficiais, e que a troca de carreira requer o desenvolvimento de uma nova rede social.[61] A pesquisa conversacional cria uma abertura para esses dois campos.

Andy Bell sabe a força que uma conversa pode ter. Após largar a escola aos 16 anos, foi-lhe oferecido um emprego numa agência de viagens de uma pequena cidade inglesa, como parte de um esquema de treinamento patrocinado pelo estado. Ele odiou: foi obrigado a cortar seu cabelo punk e a tirar os brincos. Andy deixou o trabalho dois meses depois e encontrou uma nova ocupação num canteiro de obras. E foi aí que o mundo conversacional explodiu em sua vida:

> Conheci algumas pessoas incríveis que me contaram um monte de histórias sobre viagens. Era uma verdadeira educação. O grupo todo era de hippies que tinham viajado e se tornado operários — carpinteiros, gesseiros, construtores de telhados e de paredes. Era muito divertido acordar de manhã e ir para o trabalho para conversar com eles. Eu os considerei uma inspiração, em parte porque tinham uma origem social diferente da minha — eram pessoas comuns, trabalhadores, não eram filhinhos de papai mimados. Ouvi todas aquelas histórias fantásticas sobre viajar de carro para a Índia, ficar à beira da morte por causa da malária, ir para o Marrocos e acompanhar os berberes. Tudo era tão fascinante — a única vez que saí do país foi quando acampei na Espanha por duas semanas.
>
> Aquilo definitivamente influenciou minha vida. Minhas aspirações na época eram juntar algum dinheiro e viajar, e foi o que eu fiz pelos seis anos seguintes. Fui trabalhar na Grécia por dois anos, como coveiro, depois trabalhei em uma fazenda, descarreguei caminhões frigoríficos de peixe, instalei canos de irrigação. Fiz isso em Israel também: trabalhei como coveiro, carregador de mudanças, entregador de tijolos. Acabei na Nova Zelândia, como peão de fazenda em tempo integral. Devo ter tido uns vinte ou trinta empregos na vida.

Por fim, Andy voltou para a Inglaterra e abriu um pequeno negócio como fazendeiro orgânico, organizando uma entrega semanal de verduras direto para a casa das pessoas. Como ele mesmo admite, não estaria onde está hoje sem aquelas conversas no canteiro de obras, que serviram para ampliar sua imaginação e modificar sua visão de mundo.

Então, o que vai ser? Um período sabático radical, um projeto de ramificação ou uma pesquisa conversacional? Chegou a hora de botar este livro de lado e partir para a ação. Meu conselho, a essa altura, é o seguinte:

- *Pense em três possíveis eus, depois, imagine três formas em que você possa "agir primeiro e refletir depois", para testar cada um desses eus. Tire meia hora agora mesmo e mãos à obra. Ligue para uma organização que lhe interesse e pergunte se aceitam voluntários. Registre um nome de domínio para um negócio que você tenha imaginado. Arranje o programa de um curso de treinamento que você gostaria de fazer. Envie um e-mail para um amigo que seja realizador amplo e pergunte se vocês podem se encontrar para conversar sobre como ele lida com isso.*

Até mesmo pequenos passos como esses podem gerar um sentimento vigoroso de que você está promovendo mudanças e podem ser catalisadores para a remodelagem de seu futuro. Não tem tempo? Está muito cansado? Com medo de que ninguém vá querer conversar com você? Então deixe que Goethe mostre o caminho. Ele compreendeu o sentido de agir agora e refletir depois:

Assim a indecisão traz seus próprios atrasos,
E os dias se perdem em lamentos por dias perdidos.
Você está realmente disposto? Agarre esse momento;
O que você pode fazer, ou sonha que pode, comece agora;
A ousadia possui o talento, a força e a magia.

Fluo, logo existo

A busca por um trabalho realizador começa com a ação, mas é resolvida pela reflexão. Pois mesmo após testar uma seleção de nossos possíveis eus, ainda precisamos considerar qual a melhor opção (ou combinação de opções, para realizadores amplos). Como podemos saber qual a carreira certa para nós neste momento de nossas vidas? Devemos nos fazer algumas perguntas básicas sobre os universos de trabalho com os quais tivemos contato através dos projetos ramificados ou de outros experimentos:

- *De que forma as carreiras que você pesquisou são diferentes daquilo que esperava?*
- *Sobre que tipo de trabalho você falou com mais entusiasmo com outras pessoas?*
- *Qual deles proporcionou o tipo de sentido que você está buscando numa carreira?*

A última questão é vital, pois o sentido é a base para uma carreira de realizações. Mas é preciso reconhecer que sentido não é suficiente para a realização humana: você pode usar seus talentos como escultor, mas se sentir solitário na maior parte do tempo em que esculpe a pedra. A maioria de nós também quer apreciar nossos empregos no dia a dia. Isso nos leva a outra pergunta sobre os trabalhos que você experimentou:

- *Qual deles lhe proporcionou a melhor experiência de "fluxo"?*

O fluxo tem o potencial de proporcionar esse sentimento diário de satisfação. Nunca ouviu falar disso? Não se preocupe. Permita-me explicar do que se trata esse misterioso elixir do fluxo e como exatamente isso pode nos ajudar na escolha de uma carreira.

O conceito de fluxo data da década de 1970, quando foi explorado pela primeira vez pelo psicólogo húngaro-americano Mihaly Csikszentmihalyi (e você achou que Krznaric era difícil de pronunciar). É agora amplamente aceito como um dos principais indicadores de "satisfação com a vida" ou "felicidade". Uma experiência de fluxo é aquela em que estamos completa e inconscientemente absortos no que quer que estejamos fazendo, seja escalando uma parede de rochas, tocando piano, praticando pilates, apresentando uma conferência ou realizando uma cirurgia. Nos termos de Csikszentmihalyi, estamos "tão envolvidos numa atividade que nada mais parece importar". Quando isso acontece, entramos "em fluxo", um estado que os atletas frequentemente chamam de "entrar em transe". Ele explica que apreciamos essas atividades pois são "autotélicas", ou intrinsecamente motivadoras: a ação é valiosa por si, e não como um meio para um fim. Numa experiência típica de fluxo, nos sentimos totalmente envolvidos com o presente, e o futuro e o passado tendem a se desfazer — como se estivéssemos fazendo uma meditação budista. Em seu notório estudo sobre cirurgiões, Csikszentmihalyi descobriu que, ao realizar as operações, 80% deles perdem a noção do tempo ou sentem que ele passa muito mais rápido do que o normal. Eles entraram "em transe".[62]

Uma das características curiosas do fluxo, segundo Csikszentmihalyi, é que não se limita a profissões "de ponta", como cirurgião, mas pode igualmente ser vivido por açougueiros, soldadores ou trabalhadores rurais. Certamente, ele reconheceria o fluxo na seguinte cena de *Anna Karenina*, de Leon Tolstói, quando o tímido aristocrata Levin se junta aos camponeses de sua propriedade num dia de ceifa:

> Golpes sucediam golpes. Os cortes abatiam-se sobre as fileiras longas ou curtas, ervas boas ou más. Levin perdeu qualquer noção do tempo e não sabia se era cedo ou tarde. Uma mudança começou a ocorrer em seu trabalho, proporcionando-lhe grande satisfação. Houve momentos em que se esqueceu do que fazia, movendo-se sem esforço [...] Quanto mais Levin ceifava, mais frequente eram aqueles momentos de oblívio nos quais não eram seus braços que moviam a gadanha, mas o próprio instrumento que ceifava por si próprio [...] Esses eram os momentos de maior bênção.

Talvez seja um retrato por demais romântico do que era a vida de um servo na Rússia do século XIX, mas é o tipo de condição existencial que a maioria de nós já experimentou. Que tipo de atividades normalmente nos colocam em fluxo? Normalmente, ocorre quando usamos nossas habilidades em uma tarefa desafiadora, mas não tão árdua que nos faça temer o fracasso.

É por isso que os cirurgiões vivem o fluxo com frequência: as operações são difíceis e exigem uma imensa concentração, mas eles têm o treinamento suficiente para se sentir confiantes do sucesso. O fluxo também é ampliado quando somos criativos e aprendemos novas habilidades, quando podemos ver o resultado imediato de nossas ações e quando temos metas claramente definidas.[63] Em geral, entro em fluxo quando escrevo um capítulo como este, mas não ao responder a e-mails administrativos no final do dia.

As implicações dessa teoria é que precisamos aspirar a uma carreira que nos proporcione um elevado conteúdo de fluxo. Mas é neste ponto que a questão se torna controversa. Csikszentmihalyi e muitos de seus seguidores afirmam que praticamente qualquer trabalho pode ser alterado para que "suas condições sejam mais favoráveis ao fluxo".[64] Até mesmo funções aparentemente mundanas, como caixa de supermercado, diz ele, podem ser vistas de forma a transbordar de fluxo. Portanto, pode não ser absolutamente necessário trocarmos de carreira se nos sentimos infelizes com o que fazemos: tudo o que é preciso é buscar tarefas mais desafiadoras ou nos concentrar nos aspectos criativos do trabalho.

O problema é que a maioria de nossos empregos não pode ser magicamente transformada para proporcionar a melhor experiência de fluxo. Talvez seja possível, se você for um fotógrafo de moda, escolher locações mais desafiadoras ou experimentar novas técnicas de iluminação. Mas se você é um gerente de projeto de TI profundamente infeliz, será difícil recalibrar suas atividades diárias de modo que ofereçam todo o desafio, criatividade e objetivos necessários para proporcionar o fluxo. A maioria dos trabalhadores, especialmente os que trabalham em organizações burocráticas ou que realizam tarefas repetitivas, não tem muita margem para promover mudanças em suas funções. Várias vezes, verifiquei que as pessoas que se sentem profundamente vazias em seus empregos são incapazes de ajustá-los o suficiente para arrancar deles porções significativas de fluxo.

Assim, em vez de tentar *criar* o fluxo em nossos empregos atuais, acredito que um caminho mais razoável seja *procurar* um trabalho que nos proporcione o fluxo. Onde podemos encontrar a lista secreta das carreiras de alto fluxo? Seria uma imprudência da minha parte oferecer algo assim, pois a experiência profissional de cada um de nós é diferente, dependendo das nossas habilidades, nossos recursos criativos, temores e fraquezas. E este é precisamente o motivo pelo qual é tão importante realizar os projetos de ramificação: a melhor maneira de descobrir se uma carreira contém um alto potencial de fluxo para você é experimentando-a. Você então poderá escolher entre as opções tomando por base aquela que tem mais chance de colocá-lo em transe.

A ideia de fluxo pode nos ajudar a tomar decisões de carreira de duas outras formas. A primeira é por meio da conversa. Quando conversar com pessoas cujos trabalhos lhe interessem, não faça apenas perguntas vagas do tipo “Como é ser um taxidermista?”; pergunte sobre o fluxo — com que frequência eles sentem que estão fluindo e precisamente o que costumam estar fazendo quando isso acontece? A segunda estratégia é se tornar um detetive do fluxo em sua própria vida, criando um Diário do Fluxo. Passe um mês registrando diariamente os tipos de atividades que proporcionam o fluxo — seja escrevendo um relatório complicado no trabalho, seja preparando um almoço de domingo para uma dúzia de pessoas.

Jackson Pollock pintando. O que lhe proporciona a experiência do fluxo?

Você pode usar esse conhecimento para tentar identificar carreiras potencialmente realizadoras.

Precisamos estabelecer como objetivo a descoberta de algo que nos permita bradar para o mundo: Fluo, logo existo. No entanto, é preciso cuidado para não nos tornarmos viciados em fluxo. O fluxo não é tudo. É necessário, sem dúvida. Mas suficiente por si só? Nada disso. Podemos estar fazendo coisas desafiadoras e tarefas criativas com fluxo, e ainda assim, no final, não considerar o trabalho realizador, pois não incorpora nossos valores ou não oferece as formas profundas de sentido que exploramos antes. Eu costumava experimentar o fluxo quando escrevia artigos acadêmicos ou dava uma palestra, ainda assim, não desejava ser professor universitário. Precisamos tanto do fluxo quanto do sentido. Mas até mesmo essa combinação poderosa não é suficiente para as formas mais profundas de realização. Existe mais um elemento que devemos considerar: se um emprego pode oferecer o maravilhoso dom da liberdade.

5. O anseio por liberdade

Um manifesto das aspirações humanas

Em seu livro *Good Work*, o visionário economista E. F. Schumacher descreve liricamente o "anseio por liberdade" que se espalhou por toda a sociedade ocidental. Esse anseio, diz ele, engloba uma gama de ideias libertadoras:

> Não quero cair na rotina.
> Não quero ser escravizado por máquinas, burocracias, tédio e feiura.
> Não quero me tornar um imbecil, um robô, um peão.
> Não quero me tornar um fragmento de pessoa.
>
> Quero fazer o meu próprio trabalho.
> Quero viver com (relativa) simplicidade.
> Quero lidar com pessoas, não com máscaras.
> As pessoas importam. A natureza importa. A beleza importa. A inteireza importa.
> Quero ser capaz de me *importar*.[65]

Esse manifesto poético das aspirações humanas, escrito na década de 1970, é bem capaz de ecoar no íntimo de muitas pessoas de hoje que se sentem infelizes em seus trabalhos. Podem estar sofrendo com uma sobrecarga crônica — uma das maiores causas de insatisfação com o trabalho no Ocidente — e normalmente chegam exaustas em casa após um dia estressante e após várias horas no transporte público, cansadas demais para procurar outros hobbies, sair com amigos ou dedicar sua energia à vida familiar.[66] Podem apreciar diversos aspectos de seus trabalhos, mas não gostam de receber diariamente ordens de chefes insuportáveis. Não querem que seus fins de semana sejam constantemente invadidos por mensagens de texto e e-mails do escritório. Falam da "rotina" ou de serem "escravos do salário" ou de não terem tempo suficiente para "equilibrar trabalho e vida pessoal". Sonham com mais tempo livre, mais autonomia, mais espaço em suas vidas para relacionamentos e para serem elas mesmas.

Não é todo mundo que sofre com esse tipo de restrição: muitas pessoas se realizam com trabalho duro e longas horas, dedicando-se intensamente a carreiras pelas quais são apaixonadas. Mas se você já se sentiu sobrecarregado pelo trabalho e ansiou por mais liberdade e independência para viver a própria vida, do jeito que quiser, pode ser válido considerar esta pergunta simples: Como atender ao desejo por maior liberdade? A resposta, no entanto, está longe de ser simples e apresenta três dilemas. O primeiro, se devemos optar pela segurança e estabilidade de um emprego assalariado ou inventar nosso próprio emprego, sendo chefes de nós mesmos. Segundo, se devemos desistir da ética do trabalho duro e abandonar a meta de encontrar um emprego que nos realize profissionalmente para, em seu lugar, buscar um trabalho visando à nossa realização pessoal. Terceiro, a questão de como equilibrar nossas ambições de carreira com o desejo de ter uma família, pois as duas coisas podem não apenas gerar tensões emocionais, mas criar uma enorme pressão sobre as horas limitadas de que dispomos.

Enquanto exploramos essas questões, conheceremos um anarquista, um analista de Wall Street e um apicultor. Eles nos ajudarão a reconhecer as virtudes do ócio, a desafiar a ideologia de "ter tudo" e a compreender como a liberdade pode ser combinada com sentido e fluxo para oferecer a mais profunda forma de realização profissional.

A alternativa anarquista, ou como inventar o próprio emprego

"Aqueles que abrem mão da liberdade essencial para comprar um pouco de segurança temporária", escreveu Benjamin Franklin, "não merecem liberdade, tampouco segurança". Ele estava certo? Ao decidir que carreira devemos seguir, precisamos encontrar uma maneira de equilibrar nossos desejos concomitantes de segurança e liberdade. A maioria das pessoas deseja algum tipo de estabilidade no trabalho, especialmente em épocas de incerteza econômica: precisamos de uma renda regular para pagar o financiamento da casa ou as pesadas mensalidades escolares, para sustentar os filhos e assegurar uma pensão para a velhice. Num nível psicológico mais profundo, desde que o cordão umbilical é cortado e somos lançados na solidão de nossa individualidade, nos colocamos em busca da segurança emocional e da segurança material.[67] Apesar de ser possível encontrá-las num casamento feliz ou como membros de uma comunidade, também podemos achá-las no local de trabalho, na forma de um emprego estável que não só nos proporciona um salário certo no final do mês, mas que também possibilita uma rede de amizades, um senso de identidade e um sentimento de valorização. Foi esse avassalador desejo por segurança — arraigado nos tempos difíceis da guerra em sua infância — que manteve meu pai trabalhando na IBM por cinquenta anos.

Embora a segurança esteja na base da nossa hierarquia de necessidades, os seres humanos são igualmente motivados pela busca da liberdade individual. Durante toda a história, das revoltas de escravos dominados pelos romanos às campanhas contra o apartheid na África do Sul, as lutas sociais e políticas foram motivadas pelo desejo de escapar da opressão e usufruir da liberdade pessoal. Essa história ecoa em nossas atitudes em relação ao trabalho. Por décadas, os psicólogos industriais vêm observando que a satisfação com o trabalho está diretamente relacionada ao "espaço de autonomia", o que significa a fração de cada dia em que os trabalhadores se sentem livres para tomar as próprias decisões.[68] Em praticamente todas as minhas aulas, vejo pessoas cujo sonho é gozar de maior autonomia deixando seus empregos em grandes organizações e indo trabalhar por conta própria, abrindo um café ou trabalhando como freelancer.

Seu anseio por liberdade é perfeitamente compreensível, segundo Colin Ward, um dos mais expressivos pensadores anarquistas do século XX. Em seu clássico *Anarchy in Action*, ele faz a fascinante pergunta sobre o que leva uma pessoa a alegremente pegar uma pá para trabalhar no jardim depois de um dia duro de trabalho numa fábrica ou num escritório:

> Ele gosta de ir para casa e cavar no jardim porque está livre do capataz, do gerente ou do chefe. Sente-se livre da monotonia

> e da escravidão de fazer a mesma coisa todo dia, além de estar no controle de todo o trabalho, do começo ao fim. A pessoa é livre para decidir por si mesma como e quando trabalhar. É responsável por si mesma e por mais ninguém. Trabalha porque quer, não por obrigação. Faz o próprio trabalho. Está a serviço de si mesma.
>
> O desejo de "ser o próprio patrão" é, de fato, muito comum. Pense em todas as pessoas cujo sonho secreto ou ambição recolhida é ter uma pequena fazenda ou loja, ou abrir um negócio próprio, mesmo que isso signifique trabalhar noite e dia, com poucas perspectivas de solvência. Poucos são otimistas a ponto de achar que ficarão ricos fazendo isso. O que desejam, acima de tudo, é o sentimento de independência e de ter controle sobre seus próprios destinos.[69]

Ward oferece uma visão irresistível do que seja um trabalho realizador. Você não preferiria esse sentimento de independência e livre escolha a passar oito horas por dia a serviço das necessidades de um empregador, cujo objetivo provavelmente é obter lucros trimestrais e não garantir o seu bem-estar? Também é uma visão realista reconhecer que a liberdade do autoemprego pode exigir bastante trabalho. Ward pertence à tradição anarquista, mas não aquela estereotipada pela mídia, em que jovens com máscaras pretas jogam garrafas na polícia. A tradição de Ward remete ao filósofo William Godwin, do século XVIII, que defende que o anarquismo é a expansão do espaço na sociedade para a liberdade individual e a cooperação social, fora dos domínios das corporações e das instituições autoritárias dos governos. Seus heróis trabalhistas são justamente as pessoas que abrem seu próprio café, ou que trabalham numa cooperativa de alimentos saudáveis em que os empregados são os donos do negócio. Portanto, se você alguma vez já se sentiu frustrado pela falta de autonomia e anseia pela independência de trabalhar para si próprio, então é provável que haja um anarquista escondido em algum lugar dentro de você.

Mas também pode haver quem se sinta livre trabalhando numa grande organização, especialmente aqueles que podem escolher suas tarefas e metas diárias e contam com o benefício do horário flexível. Muitas empresas se orgulham da grande autonomia que proporcionam a seus empregados. Quando eu era um acadêmico, era funcionário de uma grande instituição burocrática, mas também dispunha de uma considerável liberdade para decidir como e quando trabalhar. Minhas primeiras duas horas de trabalho aconteciam ainda na cama, em casa, antes de chegar ao meu departamento, às 11 da manhã. Ninguém parecia se incomodar, contanto que eu continuasse a publicar artigos e a cumprir com minhas obrigações docentes.

Mas se você está em busca da verdadeira autonomia, é muito mais provável que a encontre juntando-se aos 20% de europeus e norte-americanos que trabalham por conta própria. E há grandes chances de que isso seja bom para você. Segundo a Fundação do Trabalho do Reino Unido, "trabalhar para si mesmo é uma fonte de felicidade": 47% das pessoas que trabalham por conta própria dizem estar "muito satisfeitas" com suas ocupações, em comparação com apenas 17% das que têm empregos regulares.[70]

Fiona Robyn dirá que essa estatística mascara uma realidade muito mais complexa e desafiadora. Após anos trabalhando no atendimento aos clientes de uma grande empresa, ela foi estudar psicologia de aconselhamento para usufruir da liberdade de trabalhar por conta própria. Após se mudar para outro lugar da Inglaterra para viver com o marido, sua lista de clientes de terapia diminuiu muito. Então ela decidiu tentar viver de sua grande paixão, que era escrever. Assim, Fiona criou a Writing Our Way Home (Escrevendo a caminho de casa), um pequeno negócio inspirado em seu envolvimento com o budismo, que oferece cursos on-line mensais para uma comunidade global de pessoas que desejam usar a escrita para intensificar seu relacionamento com o mundo. Será que ela recomenda trabalhar por conta própria?

> Trabalhar por conta própria é maravilhoso e terrível. Não temos feriados ou licença médica, e nenhuma segurança. Nenhuma oportunidade de desenvolvimento é oferecida para mim, a não ser que eu mesma pague por ela, e não há ninguém para elogiar meu trabalho ou mesmo para perceber quanto estou trabalhando duro. Se eu não tomo cuidado, o trabalho facilmente extrapola para antes do café da manhã, depois do jantar e para os fins de semana. Se alguma coisa der errado, não há ninguém a quem culpar ou com quem conversar.
>
> Isso posto, se eu pudesse escolher, faria a mesma coisa de novo. Adoro poder gerenciar minha própria agenda, estabelecer relacionamentos com quem eu quiser e saber que estou construindo meu próprio caminho no mundo do trabalho. Adoro saber que o que estou fazendo é realmente importante para as pessoas — elas me dizem isso.

> Também ajuda pensar que a segurança que eu poderia estar perdendo por não trabalhar para uma empresa não existe. As pessoas são demitidas, ficam doentes. Não há qualquer garantia de que a vida continuará do jeito que está por qualquer período de tempo.

É muito possível que a experiência de Fiona possa convencer você de que o autoemprego — ou uma carreira em "estilo livre", como alguns podem chamar — é uma opção maluca. Quem precisa de toda essa insegurança, do estresse e da perspectiva de não ter fins de semana? Ela pode ter razão ao afirmar que ninguém está realmente seguro em seu emprego: a recente crise financeira demonstrou que todos somos dispensáveis quando é isso que os mercados exigem. No entanto, pode parecer arriscado demais abrir mão de um salário regular durante uma recessão ou se você estiver inseguro quanto ao sucesso de sua nova carreira independente.

Por outro lado, Fiona oferece uma visão profunda do valor da liberdade para a arte de viver. Quase todos com quem conversei que passaram a trabalhar por conta própria chegaram à mesma conclusão que Fiona: apesar de todas as incertezas, responsabilidades e frustrações, não desistiriam de seu autoemprego para retornar a um trabalho tradicional. Após sentir o gosto da liberdade, é quase impossível voltar atrás. Esse é um fato notável que deve servir de lição para todos nós.

Fiona também é um exemplo da forma mais radical de autoemprego, que é inventar o próprio trabalho — uma carreira sob medida. Essa é uma aspiração com origens no ideal renascentista de expressar a individualidade e exclusividade, mas que foi promovida mais recentemente pelo especialista em gestão Charles Handy:

> Pela primeira vez na experiência humana, temos a oportunidade de modelar nosso trabalho para que se ajuste à maneira como vivemos em vez de ajustar nossas vidas ao trabalho [...] Seríamos loucos se perdêssemos essa chance.[71]

Uma carreira sob medida, às vezes descrita como "emprego customizado", é aquela que você mesmo projeta para atender a seus interesses, talentos e prioridades particulares. Normalmente, não são encontradas em guias de carreiras comuns, como o trabalho de Fiona de oferecer cursos de redação on-line com um viés budista. Normalmente, também pressupõem que você trabalhe por conta própria, para poder decidir exatamente quando e como trabalhar. Inventar o próprio emprego está se tornando cada vez mais comum: existem pessoas que ganham o pão de cada dia trabalhando como assobiadores profissionais e pizzaiolos itinerantes. Mas, claro, não são profissões que aparecem em feiras sobre carreiras.

A internet revolucionou as possibilidades dos empregos customizados, especialmente para aqueles com alguma vocação empreendedora. Conheço uma mulher que mora num vilarejo rural no México e dá aulas de inglês para estudantes na Itália e no Japão. Como ela faz isso? Usando o Skype, que permite manter longas conversas cara a cara a baixo custo. Acho esses avanços tecnológicos extraordinários, principalmente quando lembro de uma época, em meados dos anos 1990, em que ensinava inglês para engenheiros espanhóis e tinha que acordar às cinco da manhã para viajar de ônibus até uma remota zona industrial ao norte de Madri. Hoje, você também pode gratuitamente criar e lançar um negócio no mesmo dia, abrindo uma conta no eBay e anunciando algum produto feito em casa. Um dia, você pode se tornar um entre o estimado meio milhão de pessoas cuja principal fonte de renda vem da venda on-line.[72] Produtos de nicho agora têm acesso aos mercados globais: sua revista on-line sobre arco e flecha pode alcançar aficionados pelo esporte de Pequim a Buenos Aires. Oportunidades extras têm aparecido pelo fato de grandes empresas e organizações estarem transferindo boa parte de seu trabalho para consultores freelancers, após anos de cortes de pessoal. Assim, você pode trabalhar em casa para diversos clientes, talvez até de diferentes países, e tomar um banho de espuma ao meio-dia sem ninguém precisar saber. Isso tudo nos deixa com uma questão a ponderar:

- *Se você pudesse criar um emprego sob medida, qual seria e que projetos de ramificação ajudariam a transformá-lo em realidade?*

Inventar o próprio emprego pode ser uma grande aposta se estivermos correndo atrás das prestações de um financiamento ou criando um filho sozinho. Mas se nosso desejo for experienciar a realização numa carreira em sua forma mais sublime, será preciso fazer todo o possível para trabalhar de uma forma condizente com quem realmente somos, com todos os nossos defeitos e qualidades. Se pudermos escolher entre segurança e liberdade, eu sugiro que escolham a liberdade. Esse é um credo defendido pelo trabalhador itinerante Chris McCandless, retratado no filme e no livro *Na natureza selvagem* e que morreu nas florestas do Alasca em 1992:

> Tantas pessoas vivem em circunstâncias infelizes e ainda assim não tomam a iniciativa de mudar suas situações por estarem condicionadas a uma vida de segurança, conformi-

> dade e conservadorismo. Todos esses elementos podem dar a ideia de paz de espírito, mas, na realidade, nada é mais nocivo ao espírito aventureiro de um homem do que um futuro seguro.[73]

E se o nosso ideal de liberdade não consistir em sermos livres e independentes *dentro* de nossos empregos, mas sim livres *dos* nossos empregos? Como estamos prestes a ver, isso pode exigir que nos desfaçamos da ética do trabalho para adotar uma filosofia do ócio.

Livrando-se da ética do trabalho

"Todo trabalho é uma forma de escravidão voluntária." Karl Marx? Não, James Lam, um analista de TI sino-inglês. Ele trabalha para uma empresa de software e passou os últimos dez anos numa série de cargos ligados à TI. O pagamento é bom, mas as horas são excessivas e o estresse é alto. Em um emprego, era regularmente acordado por seu BlackBerry às duas da manhã para resolver problemas urgentes de software. "Quando eu tinha 15 anos, pensava em cair na estrada e levar uma vida boêmia como Jack Kerouac", me disse James. Por todos esses anos, ele manteve o sonho de uma liberdade maior.

Por que será que tantas pessoas, como James, acabam trabalhando tanto e tão intensamente em empregos dos quais não gostam muito? Talvez considerem que vale a pena pagar o preço de um cargo que oferece um pacote financeiro atraente — o clássico acordo de Fausto nos trabalhos modernos. Os sociólogos podem sugerir, alternativamente, que são herdeiros desafortunados da ética protestante do trabalho, uma ideologia que surgiu na Europa do século XVII, promovendo a crença de que trabalhar duro era bom e aproximaria a pessoa de Deus. O legado atual é de que nos sentimos culpados se não estivermos com a cara enfiada no trabalho por longas jornadas diárias.

Uma terceira possibilidade é que sucumbimos à epidemia contemporânea do vício no trabalho. Mais de um milhão de britânicos se considera *workaholic* e faz horas extras voluntariamente. No Japão, 10% das mortes de homens são relacionadas ao trabalho; eles têm até uma palavra especial para isso, *karōshi*, morte pelo excesso de trabalho.[74] Os que se viciam tendem a se deixar atrair, inicialmente, pelos benefícios de trabalhar duro, como pela satisfação de ser um perfeccionista ou pelo mérito de ser o último a sair do escritório. No final, no entanto, a obsessão pelo trabalho sai do controle. Segundo o psicoterapeuta Bryan Robinson, deveríamos estar nos fazendo perguntas como “Eu costumo fazer duas ou três coisas ao mesmo tempo, como almoçar e escrever um e-mail?”, e “Gasto mais tempo e energia no meu trabalho do que nos relacionamentos com as pessoas que amo e com os amigos?”. Responder que sim pode significar que estamos indo em direção ao vício, sobretudo se regularmente dedicamos muitas “horas voluntárias” além de nossas obrigações oficiais.[75] É claro que trabalhar 12 horas por dia não necessariamente significa que somos viciados em trabalho: pode ser um reflexo do fato de que encontramos uma vocação estimulante e absorvente.

Pressupondo, no entanto, que nos sentimos sobrecarregados de trabalho — quer nos consideremos viciados, quer não —, qual pode ser a cura? Trabalhar menos, obviamente. Não é um conselho especialmente útil, admito. Para que faça sentido, precisamos pensar no que seria necessário para nos libertarmos da ética do trabalho e quais seriam as implicações de encontrarmos um emprego que adorássemos, tanto para nós quanto para nossos bolsos. No final, podemos mudar nossas prioridades: em vez de pensar que nossa meta deve ser encontrar um trabalho realizador, nossa ambição pode ser buscar um trabalho que nos possibilite ter realização em nossa vida pessoal.

O filósofo Bertrand Russell pode nos ajudar a explorar essas questões. Em seu cintilante ensaio de 1932, "In Praise of Idleness" [Elogio ao ócio], Russell chocou o *establishment* afirmando que "há trabalho demais sendo feito no mundo" e que "um imenso dano é causado pela crença de que o trabalho é virtuoso". Ele não via nenhum bom motivo para que as pessoas suassem tanto para produzir tantos produtos de consumo que pouco acrescentavam à qualidade de vida. Como muitos pensadores progressistas de sua época, incluindo o economista John Maynard Keynes, ele estava convencido de que o crescimento econômico e os avanços tecnológicos haviam possibilitado que a maioria das pessoas dos países ricos desfrutasse de um padrão de vida decente trabalhando não mais do que quatro horas por dia. Russell também achou que deveríamos reconhecer as virtudes do lazer. Por "lazer" ele não se referia a passatempos passivos, mas a atividades que poderiam expandir nosso potencial humano:

> Num mundo em que ninguém se sente compelido a trabalhar mais do que quatro horas por dia, qualquer pessoa dotada de curiosidade científica será capaz de entregar-se a ela, e qualquer pintor poderá pintar sem passar fome, por mais excelen-

> tes que sejam seus quadros [...] Haverá felicidade e alegria de viver, em vez de nervos em frangalhos, cansaço e dispepsia.[76]

Se um dia de trabalho de quatro horas parece ambicioso demais, podemos ser mais realistas e considerar os possíveis benefícios — e custos — de adotarmos uma semana de quatro dias de trabalho, uma aspiração popular desde a década de 1970, a qual os empregadores estão cada vez mais dispostos a aceitar. Ou, pelo menos, considere reduzir seu tempo de trabalho em apenas uma hora por dia. Obviamente, você disporia de mais tempo para a família e os amigos, o que, de acordo com 70% das pessoas, é exatamente o que o excesso de trabalho os impede de ter.[77] Você acha que seus filhos prefeririam brincar por mais uma hora com você ao final do dia ou que você regularmente ficasse até tarde no escritório a fim de ganhar o bastante para comprar uma casa maior? Como um amigo meu costuma dizer: "Acho que meus filhos preferem ter mais pai do que mais jardim."

Um segundo benefício pode ser, como Russell sugere, a liberdade de buscar projetos edificantes fora dos horários oficiais de trabalho. Tome, por exemplo, o caso do poeta norte-americano Wallace Stevens. Durante o dia, ele trabalhava numa empresa de seguros e acabou se tornando vice-presidente de uma reconhecida empresa de Connecticut. Mas ele não era um *workaholic*: voltava todo fim de tarde para casa a fim de escrever versos e era considerado um dos maiores poetas modernistas do início do século XX. Stevens manteve essas duas vidas separadas: sempre se sentiu algo como um impostor em seu trabalho diurno, "era como se fosse uma encenação", escreveu. Considerava a poesia seu "verdadeiro trabalho"

O filósofo Bertrand Russell (sentado à direita) acreditava que todos deveriam trabalhar quatro horas por dia. Ele usou seu "tempo de lazer" para copromover a campanha britânica pelo desarmamento nuclear.

— mesmo não sendo pago por ela — e jamais quis comercializar sua arte e se tornar um poeta "profissional". Depois de ganhar o prêmio Pulitzer, em 1955, foi convidado para lecionar em Harvard, o que lhe permitiria escrever poesias e viver disso, mas recusou e preferiu se manter no emprego na seguradora.

Na verdade, Stevens não optou por fazer de sua carreira diurna o principal projeto de sua vida, mas usou-a como fundação para ir em busca de suas ambições mais amplas como ser humano. É isso que quero dizer com "buscar um trabalho para ter realização na vida pessoal". É uma estratégia comum para a arte de viver: você mantém um emprego que lhe dê tempo e energia suficientes para desenvolver uma atividade mais importante no tempo livre, tais como tocar violino, fotografar paisagens ou ser um ativista comunitário.

Será que isso implica desistir da possibilidade de ter uma carreira realizadora? Não necessariamente. Para começar, um trabalho significativo não precisa ser aquele que consome sua vida completamente. Já tive a sorte de ter um emprego incrível organizando "almoços e jantares de conversação" para estrangeiros, mas negociando com meu chefe que trabalharia do meio-dia às seis, eu poderia escrever um romance durante as manhãs. Além disso, a realização continua a ser viável se estivermos dispostos a quebrar a barreira conceitual entre o trabalho e o lazer. As chamadas "atividades de lazer" podem não nos proporcionar dinheiro no bolso, mas podem proporcionar muitos dos outros benefícios oriundos de uma carreira realizadora se as buscarmos com dedicação. Por meio de sua poesia, Wallace Stevens pôde obter status social, respeito de outros poetas e um senso de que estava usando seus talentos e seguindo sua vocação. Então não sejamos tão restritos à ideia tradicional de que uma carreira necessariamente envolve ganhar dinheiro.

Mas não podemos simplesmente nos esquecer do dinheiro. De fato, a ansiedade quanto ao dinheiro é o principal fator que impede a maioria das pessoas de seguir o conselho de Bertrand Russell e reduzir suas horas de trabalho em prol de mais tempo para o ócio criativo. Imagine que você convenceu seu chefe a deixá-lo trabalhar quatro dias por semana em vez de cinco. Será que você sobreviveria a uma redução de 20% em seu salário?

A maneira mais eficaz de enfrentar esse desafio é se tornar um seguidor da vida simples, uma das religiões com mais rápido crescimento na nossa era pós-industrial. Fazendo isso, você se juntaria a uma venerável tradição de pessoas que voluntariamente se voltaram contra o materialismo e o consumismo e foram em busca de uma existência mais significativa — e mais barata. Pense no naturalista norte-americano do século XIX Henry David Thoreau, que passou dois anos realizando um experimento de autossuficiência na década de 1840. Thoreau viveu numa cabana de madeira, que construiu com as próprias mãos por menos de trinta dólares, e manteve seus custos baixos plantando a maior parte de sua comida. Dedicando-se a ler, escrever e observar a natureza, ficou famoso por declarar em *Walden* que "um homem é rico na proporção das coisas que ele é capaz de deixar de lado".

Uma pessoa que seguiu seu exemplo foi Joe Dominguez, um dos fundadores do movimento pela vida moderna simples nos Estados Unidos e coautor de *Dinheiro e vida*, um de seus manifestos mais influentes. Filho de imigrantes cubanos pobres, na década de 1960 Dominguez conseguiu sair do gueto e foi trabalhar como analista financeiro em Wall Street. "Quando trabalhei em Wall Street", disse, "vi que a maioria das pessoas não fazia do trabalho a sua vida, mas, sim, a sua morte. Voltavam para casa depois do expediente um pouco mais mortas do que quando tinham começado pela manhã. Decidi que não cometeria o mesmo erro".[78] Então traçou um plano. Economizou cada centavo que podia, morando numa residência barata no Harlem, construindo os próprios móveis, comprando roupas de segunda mão. Aos 30 anos, tinha juntado dinheiro suficiente para sobreviver, se fosse cuidadoso, com juros anuais de 6 mil dólares. Demitiu-se do emprego, comprou uma van de acampamento e foi para o oeste, para uma nova vida de liberdade frugal.

Thoreau e Dominguez adotaram a vida simples como um esporte radical, e poucas pessoas estão prontas para uma mudança tão extrema em seus estilos de vida. Mas se você duvida de que pode viver com menos 20% do que ganha atualmente, ou acha que os sacrifícios materiais decorrentes não valeriam a pena, me deixe revelar um dos maiores segredos da arte de viver. Você provavelmente já viveu o fenômeno pelo qual um aumento de salário não resulta num crescimento de suas economias, pois seus gastos aumentam misteriosamente para preencher o espaço da renda disponível. Bem, o inverso também se aplica. Quando sua renda diminui pela redução do trabalho (ou pela mudança de emprego para uma atividade mais realizadora), como regra geral, suas despesas diárias — com coisas como alimentação, vestuário e entretenimento — naturalmente se contraem para caber em suas novas circunstâncias financeiras, e, mesmo assim, você não se sentirá nem um pouco pior. Na verdade, é bem provável que você comece a achar a vida melhor do que nunca, uma vez que contará com a abundância luxuriante do mais precioso dos bens: o tempo.

Não acredita? Quando Sameera Khan largou o emprego de advogada corporativa em Londres e começou a trabalhar em projetos sociais empresariais, vez por outra prestando consultorias legais como autônoma, ela e o marido tiveram que se ajustar a uma significativa redução de sua renda conjunta. Perguntei a eles como estavam administrando a situação.

> Estamos vivendo com milhares de libras a menos por mês. Deus sabe como a gente gastava todo aquele dinheiro. Tenho vergonha de dizer que não faço ideia de como o gastava. Quando você se livra dele, pode viver muito bem. E minha qualidade de vida melhorou. Fico mais em casa, estou mais com meus amigos, com a minha família. Preparo jantares gostosos, ainda que econômicos, pois posso fazer compras com o quitandeiro ou direto com o fornecedor, em vez de ir a um supermercado caro, como o Sainsbury's. Posso ir à peixaria e comprar peixes locais, mais baratos porque vêm do nosso litoral. Finalmente estou adotando o *êthos* "não quero, não gasto" da geração dos meus pais, mas realmente queria ter tido o bom-senso de aplicar isso quando ganhava todo aquele salário. Sinto tanto prazer em não gastar dinheiro. Também tenho tempo agora para aulas de bambolê e para aprender a fazer tricô pelo YouTube. Estou sendo criativa — não tinha nem ideia de que eu era criativa!
>
> É óbvio que tivemos que fazer mudanças, demos uma boa avaliada na forma como gastávamos o dinheiro e no porquê. Acho que antes eu simplesmente não prestava atenção no que eu precisava em oposição ao que eu queria. Não podemos mais ir tão facilmente a um restaurante caro com os amigos porque

> agora é mais difícil para nós justificar a despesa. Quando quero algo mais caro, tento ganhar um dinheiro extra vendendo coisas que não uso mais pelo eBay — é viciante. No geral, toda essa experiência me ensinou a refletir muito mais e a valorizar tudo o que eu tenho.

Fazer a transição para uma vida mais simples exige adotar a filosofia de Picasso: "a arte é a eliminação do desnecessário". Um experimento útil é manter por um mês um registro detalhado de todas as suas despesas, identificando cada item como "preciso" ou "quero", e no mês seguinte tentar reduzir pela metade todos os "quero". Sua qualidade de vida afundou ou a experiência foi surpreendentemente libertadora? Outra opção é conhecer melhor os mercados de pulgas e as lojas de produtos usados e participar de comunidades on-line como a Freecycle, nas quais pessoas doam bens de consumo que não querem mais, de triciclos a sofás. Ao mesmo tempo, é importante perceber que nossos empregos podem, na verdade, custar dinheiro. Pense só no quanto você gasta no que Joe Dominguez chama de nosso "uniforme de trabalho" (ternos, vestidos, sapatos, bolsas), no deslocamento para o escritório, em lanches diários e viagens de luxo para se recuperar do estresse. Será que deveríamos pagar tão caro para trabalhar?

A vida simples também tem aplicações mais gerais para a mudança de carreira. Se você decidir por um período sabático radical, como Laura van Bouchout, a habilidade de viver com relativa simplicidade pode ampliar o tempo disponível para você se dedicar a suas experiências. E a noção de que é possível viver com mais leveza pode facilitar a mudança para um emprego que proporcione um salário menor, mas um significado maior.

Numa cultura obcecada pelo trabalho duro e pelo sucesso na carreira, pode ser difícil abrir mão da ética do trabalho. E podemos não desejar isso se estivermos absortos em uma carreira que faz com que nos sintamos totalmente vivos. Mas se desejamos as vantagens de uma semana de quatro dias e espaço para nutrir outras partes de nosso ser, talvez seja sábio concentrar todos os nossos desejos nas virtudes da vida simples, descobrindo beleza no ideal de que menos na verdade é mais.

Ainda que possamos encontrar um trabalho gratificante que também nos propicie a abundância de horas vagas para projetos enriquecedores, o que acontecerá com nossas perspectivas de realização diante do projeto supremo de ter uma família?

Como pensar em "ter tudo"?

São oito horas de uma manhã de quarta-feira e estou discutindo com minha esposa sobre quem vai ficar em casa para cuidar dos nossos gêmeos de 3 anos, que estão muito doentes para irem à creche hoje. Ela é economista de uma agência de suporte ao desenvolvimento, está ocupada escrevendo um relatório sobre alternativas para o crescimento econômico e tentando se manter num emprego exigente trabalhando apenas três dias semanais. Estou me esforçando para cumprir o prazo e terminar um livro sobre como encontrar o trabalho da sua vida, dentro dos limites da minha semana de quatro dias. Amamos nossos filhos, mas também estamos mergulhados em nossas carreiras. Nenhum dos dois está disposto a fazer o que consideramos o "sacrifício" não programado de um dia cuidando das crianças.

Esse é o típico dilema de qualquer pessoa que se proponha a "ter tudo" — buscar uma carreira realizadora e ser ao mesmo tempo um pai ou mãe dedicados. A não ser que você seja um dos poucos afortunados que contam com os avós ou que possa pagar a uma babá cara, as disputas pelo seu tempo podem ser excessivas, especialmente quando as crianças ainda não chegaram à idade escolar. O resultado não é apenas a perda de sono ou a falta de espaço para nós mesmos. Sob tanta pressão, relacionamentos podem ser destruídos, ambições de carreira podem ser postas de lado e a liberdade de escolha pode desaparecer.

Apesar dessas realidades desafiadoras, ter tudo tornou-se uma aspiração disseminada por toda a sociedade ocidental, especialmente desde os anos 1980, quando a ideia se popularizou e foi associada ao ideal da "supermulher", com filhos equilibrados, um casamento maravilhoso e um emprego de alto nível. Mas será que é realmente possível — para homens e mulheres — combinar uma carreira pródiga com uma vida familiar plena? A melhor maneira de abordar essa questão é não responder a ela diretamente, mas desmistificá-la. Eu gostaria de sugerir quatro maneiras de repensar a questão de como ter tudo.

Não considere isso o seu dilema, mas um dilema da sociedade

Se você está achando difícil obter uma carreira agradável e bem-sucedida ao mesmo tempo que cria os filhos, lembre-se disso: a culpa não é sua. As restrições de tempo e os estresses emocionais que você enfrenta são, em grande parte, uma consequência de fatores sociais e culturais que tornam extraordinariamente difícil ter tudo, especialmente para as mulheres. Não se trata de uma crise na sua vida profissional, é uma crise da sociedade.

Um aspecto do problema é que a atitude dos homens em relação à vida familiar não mudou o suficiente para acompanhar o ritmo da emancipação feminina. A filósofa e feminista francesa Simone de Beauvoir percebeu isso lá na década de 1940. Ao discutir o aumento significativo no número de mulheres no mercado de trabalho no início do século XX, ela assinalou que "foi através do emprego remunerado que a mulher cruzou boa parte da distância que a separava dos homens; e, na prática, nada mais pode garantir sua liberdade". Ainda assim, ela viu que a maioria "não escapa do mundo feminino tradicional" dos cuidados dispensados aos filhos e das tarefas domésticas, mesmo tendo um emprego.[79]

Simone de Beauvoir destacou o que ficou conhecido como "dupla jornada": mulheres assalariadas muitas vezes precisam encarar um "segundo turno" de trabalho doméstico quando chegam em casa, uma vez que costumam fazer uma parte muito maior das tarefas do lar do que os homens, desde preparar o jantar a levantar no meio da noite para acalmar o bebê que acordou chorando. Não admira que Erica Jong tenha declarado que a mulher livre "conquistou o direito à exaustão terminal". Um estudo revelador da psicóloga Paula Nicolson mostrou que as mães de primeira viagem que acreditavam que o pai seria um parceiro igualitário nos cuidados com a criança estavam majoritariamente erradas em suas previsões.[80] Logo após a chegada do bebê, os homens tenderam a voltar ao papel tradicional de provedores e não se mostravam dispostos a abrir mão de suas antigas vidas sociais para assumir responsabilidades domésticas. E não se deixe enganar pelas matérias de revistas sobre os superpais: o número de pais que ficam em casa pode estar aumentando, mas em países como a Inglaterra, apenas um em cada vinte homens é o principal responsável por cuidar dos filhos.[81] Continuamos a viver em culturas que normalmente esperam que as mulheres assumam a maior parte dos cuidados às crianças, e que é a mulher, mais do que o homem, que precisa ajustar sua carreira para poder ter uma família.

Um segundo componente do problema é que a maneira como o trabalho está estruturado não combina com a realidade de se criar filhos. Por exemplo, mesmo que os pais queiram se envolver com os cuidados infantis, as leis trabalhistas na maioria dos países concedem apenas umas poucas semanas de licença-paternidade. Bom mesmo é a Noruega, onde os casais escolhem como dividir suas 46 semanas de licença parental remunerada entre os dois. O resultado é que 90% dos pais tiram, no mínimo, três meses de licença-paternidade.[82] Alguns países, no entanto, estão começando a se atualizar: a nova legislação no Reino Unido permitirá aos pais tirar seis meses de licença. Uma barreira adicional é que, na maioria dos países, os funcionários recebem cerca de quatro semanas de férias anuais, enquanto as crianças ficam de férias por cerca de 12 semanas. Como os pais podem cobrir essa lacuna sem que pelo menos um deles coloque o trabalho em segundo plano? Da mesma maneira, as escolas costumam encerrar o dia duas horas antes dos escritórios, com apenas uma minoria de trabalhadores podendo ter um horário flexível que lhes permita sair mais cedo para buscar os filhos.

Num sistema tão enlouquecido, tão desesperadamente necessitado de reformas, ninguém pode se culpar pela frustração ao tentar equilibrar as ambições de carreira e as obrigações familiares.

"As mulheres podem ter tudo?" é a pergunta errada

Uma pressuposição subjacente na maioria dos livros e matérias de jornal sobre como ter tudo é de que essa é uma questão basicamente para e sobre mulheres. É uma prática padrão entrevistar diversas mães, algumas das quais conseguem o feito sobre-humano de ser ao mesmo tempo a presidente da empresa e a deusa das atividades domésticas, enquanto outras penam diante do desafio. Qual é o grande segredo das que têm tudo? Podemos nos deparar com um dínamo humano que levanta às cinco da manhã e é um gênio do gerenciamento de tempo, e outro que é um multitarefa brilhante, capaz de fechar um negócio antes de preparar uma refeição *gourmet*. Uma mensagem implícita e frequente é que as mulheres que não são capazes de brilhar nem profissionalmente nem como mães são, de alguma forma, inadequadas e despreparadas para dar conta dos papéis. Como há vinte anos deixou claro Shirley Conran, analista de supermulheres, essa mensagem tem tido um impacto muito forte:

> Percebi uma ansiedade e depressão crescentes entre mulheres comuns por conta da propaganda da mídia sobre mulheres que, sem esforço, são capazes de organizar uma carreira (não um "emprego"), a casa, marido, filhos e vida social, ao mesmo tempo que mantêm um penteado perfeito 24 horas por dia

> e se dedicam a algo esotérico, como aprender japonês nas horas vagas.[83]

Mas e quanto aos homens? Enquanto as mulheres ficam sob os holofotes, os homens de suas vidas normalmente se mantêm silenciosos nos bastidores. Mas não podemos compreender inteiramente as possibilidades das mães trabalhadoras sem que saibamos o que os homens à sua volta estão fazendo. Em lares tradicionais, com ambos os pais presentes, os fatores que podem possibilitar que uma mulher dê conta de uma carreira exigente e tenha bastante tempo para estar com os filhos é o apoio de um marido que cozinha metade das refeições e trabalha meio expediente em casa. Da mesma forma, o que pode tornar isso impossível para algumas mulheres não é nenhum fracasso pessoal, mas o fato de que seus maridos sequer movem um dedo para ajudar nas tarefas domésticas.

Focar as mulheres e negligenciar o papel dos homens também reforça a norma cultural de que são as mães, e não os pais, que devem ajustar suas vidas às complexidades de administrar carreira e família e se sacrificar quando necessário. Se quisermos viver numa sociedade mais igualitária, na qual homens e mulheres possam usufruir de carreiras gratificantes, precisamos questionar essa tendência. Os dilemas de ter tudo devem ser encarados por ambos os sexos e igualmente negociados entre os dois. Iain King, por exemplo, sabia que sua mulher "desejava algum estímulo mental além de trocar fraldas e inventar novidades culinárias", assim, decidiram que ele ia largar o emprego nas forças de paz do Afeganistão e se tornar dono de casa em horário integral, cuidando do filho e permitindo que ela retomasse sua carreira diplomática. Os homens não devem presumir que podem continuar trabalhando automaticamente, como sempre fizeram, quando têm filhos, assim como as mulheres não precisam presumir que são elas as escolhidas para deixar as carreiras de lado e cuidar da economia doméstica. Em vez de perguntar "As mulheres podem ter tudo?", a verdadeira pergunta deveria ser: "Como os pais dão apoio um para o outro para que *ambos* possam ter tudo?"

Ter tudo não significa ter tudo de uma vez

Por toda a Europa e a América do Norte, a estratégia mais comum para conciliar as obrigações do trabalho e da família é que um dos pais — em geral, a mãe — passe a trabalhar em meio expediente enquanto as crianças são pequenas. Ainda assim, as restrições dessa situação podem transformar a ideia de realização profissional em uma fantasia. Será que é realmente possível progredir na profissão escolhida em uma semana de três dias? Diferente de seus colegas, você pode, por exemplo, não ser capaz de dar aquela esticada e ficar até mais tarde no escritório, pois é preciso buscar as crianças na creche. Muitos dos que trabalham em meio expediente temem que, além de não estarem indo bem no emprego, também não estão dedicando tempo suficiente aos filhos. "Sinto que não estou sendo boa em nada", admite uma psicóloga infantil que equilibra a atividade clínica com os cuidados ao filho de 3 anos.

Uma abordagem alternativa é evitar os malabarismos adotando a filosofia de que ter tudo não significa ter tudo ao mesmo tempo. Isso exige parar um pouco e pensar a longo prazo. Imagine sua vida como uma série de fases, cada uma expressando uma diferente dimensão de quem você é — algo como *As sete idades do homem*, de Shakespeare. A ideia é ter uma fase totalmente dedicada à carreira, na qual você mergulha no trabalho, depois passar para uma fase dedicada aos filhos e, quem sabe, voltar ao trabalho numa fase posterior. Na verdade, trata-se de estender sua ambição de "ter tudo" por um período maior de tempo. Na busca dessa estratégia, mulheres profissionais frequentemente optam por adiar a maternidade até beirar os 40 anos, para ter tempo suficiente de experimentar as realizações profissionais.[84]

Como em qualquer estratégia, esta também oferece riscos, como Helena Fosh pode relatar. Ela abriu mão de seu emprego de alto nível como publicitária, no qual era responsável por contas multimilionárias, para ter uma família. "Mas depois de ter tido duas crianças, sentia inveja, intimamente, das mulheres que eu conhecia que continuavam a trabalhar", lembra. "Elas pareciam ter um senso de propósito que me faltava — eu não achava que a minha contribuição para a vida da minha família e do meu marido era valorizada." Helena descobriu como pode ser difícil fazer a transição da identidade de "profissional bem-sucedida" para "mãe em tempo integral", e não ajudou o fato de que ser mãe não é uma atividade remunerada, nem tampouco oferece perspectivas de promoção. A solução de Helena acabou sendo tentar voltar ao mercado de trabalho. Mas ela percebeu que não só seu currículo e suas habilidades estavam ultrapassados, mas que também seu longo afastamento havia corroído sua autoestima. "Superar meus sentimentos de inadequação e a perda da autoconfiança tem sido um grande desafio." Assim, ela agora acredita que "largar uma carreira profissional é o pior erro que uma mulher pode cometer; as mulheres devem sempre manter um pé na vida profissional, a qualquer custo, enquanto criam uma família".

Mas nem todos concordam com isso. Muitas pessoas se realizam sendo pais em tempo integral e consideram essa a carreira mais compensadora que podem imaginar. Encaram a educação dos filhos como uma vocação que lhes proporciona uma vida cheia de sentido e propósito. Diferente de seu trabalho remunerado anterior, em que poderiam se sentir dispensáveis, geralmente sentem que ser mãe ou pai é algo insubstituível, que são as únicas pessoas que podem ter esse título junto aos próprios filhos. Essa ideia de reconhecimento, de que cuidar dos filhos é um emprego por si só, é defendida por economistas feministas, tais como Nancy Folbre, que destaca a enorme contribuição social e o valor econômico do trabalho não remunerado, como cuidar dos filhos e da casa. Na Inglaterra, por exemplo, o valor do trabalho não remunerado das mães em seus lares é estimado em 30 mil libras por ano, mas ainda é mantido invisível nas contas nacionais.[85]

Brian Campbell, um pai canadense que, após se separar da esposa, desistiu de uma carreira promissora como professor universitário de poesia chinesa para criar os quatro filhos, adotou essa atitude de que educar as crianças era uma forma válida de trabalho, ainda que não remunerada. "Como pai solteiro, encarei a criação dos meus filhos como um emprego", disse-me, descrevendo até mesmo como alfabetizou e deu aula em casa para as crianças durante dois anos. Apesar de lamentar ter perdido a chance da carreira acadêmica, afirma: "Descobri que criar meus filhos, transmitindo a eles os meus valores, a paixão que eu sinto por aprender, por resolver problemas, e apoiá-los de todas as formas possíveis, era um sacrifício que valia a pena." As recompensas de se trabalhar como pai ou mãe não estão em dinheiro ou status, mas nos relacionamentos humanos.

Criar os filhos é uma oportunidade de seguir novas direções de carreira

Há mais na história de Brian Campbell. Quando os filhos eram pequenos, ele achou que seria interessante se todos desenvolvessem suas mentes botânicas, aprendendo sobre as abelhas que zumbiam por seu jardim. Logo se encantou pela atividade e começou a criar abelhas para tirar algum dinheiro. Quinze anos depois, com quase todos os filhos crescidos, Brian agora aluga uma pequena fazenda, tem colmeias por toda a cidade e ministra cursos sobre apicultura urbana. "Gosto das abelhas e de compartilhar a minha paixão com os outros", diz. "Precisei de algum tempo para me dar conta de que isso tinha se transformado numa carreira, além do emprego integral de pai. Definitivamente, não foi algo planejado, apenas evoluiu lentamente a partir da profunda necessidade de sustentar a mim e a minha família. Suponho que os trabalhos se tornem carreiras quando assumem vida própria."

Uma maneira final de repensar o problema do equilíbrio entre trabalho e família é reconhecer que criar filhos pode gerar oportunidades inesperadas de levar sua carreira em diferentes direções. Como Brian, muitos pais desenvolvem novos interesses e habilidades que brotam do envolvimento com a vida familiar, o que os leva muitas vezes a surpreendentes territórios desconhecidos. Tom Burrough, que se tornou pai em tempo integral após perder o emprego na indústria de publicidade, ficou horrorizado com a comida de quinta categoria que era oferecida aos bebês. Assim, ele iniciou um pequeno negócio para a produção de refeições *gourmet* para bebês, como cozido de carneiro marroquino e bacalhau com pera ao molho de queijo branco, enquanto cuidava da filha. Keira O'Mara, uma mãe empreendedora que foi demitida de seu emprego na área de marketing durante a licença-maternidade, me disse que estava cansada de receber olhares de desaprovação ao amamentar seu bebê em público, por isso inventou o Mamascarf, um novo tipo de cachecol de amamentação que agora é vendido em diversas lojas da Inglaterra.

Em vez de representar o final da carreira ou uma pausa longa, tornar-se pai pode sinalizar um novo começo. Uma nova experiência radical, como ter filhos, pode nos deixar totalmente exaustos ao final de cada dia, mas também pode liberar nossas mentes, estimular nossa criatividade e nos impelir a fazer experiências com aquela abelhinha do trabalho zumbindo em nossas almas.

O escravo cativo

A escultura *O escravo cativo*, de Michelangelo, aparentemente inacabada, mostra uma figura tentando se libertar da pedra. Alguns historiadores da arte a interpretam como uma visão metafísica da alma que se esforça para se libertar da matéria. Outros a consideram uma metáfora de como precisamos descobrir nossos verdadeiros eus e destinos, escondidos dentro de nós como uma figura dentro de um bloco de pedra. Para mim, essa obra de arte é sobre a luta pela liberdade na vida cotidiana.

Que importância devemos dar à liberdade? Não estou dizendo que todos devemos nos tornar malabaristas de fogo autônomos, pois há momentos na vida em que a segurança no trabalho é essencial. Não acredito que todos nós devamos aderir à revolução do ócio, uma vez que muitas pessoas podem prosperar dedicando-se integralmente ao trabalho. E, claro, o compromisso às vezes é uma parte necessária da vida, especialmente quando se trata de equilibrar as ambições de carreira com a educação dos filhos.

Mas também acredito que é uma aspiração digna tentar se libertar da pedra, dos medos pessoais, das convenções sociais e dos mitos que podem estar nos impedindo de dar asas ao nosso espírito aventureiro. Existem muitas maneiras de liberar o espírito, desde inventar o nosso próprio trabalho para nos livrar da cultura do excesso de trabalho a viver uma vida mais simples, com mais espaço para a busca de nossas paixões. Nas nações ricas do mundo moderno, não há necessidade para a maioria de nós ser cativa, "escravizada pelas máquinas, burocracias, tédio e feiura", como disse Schumacher. Temos a capacidade, a obrigação, de nos libertar da pedra esculpindo novas possibilidades para nossas vidas.

- *Que tipo de liberdade você mais deseja para a sua vida profissional?*

O escravo cativo, de Michelangelo, lutando para se libertar da pedra.

6. Como cultivar uma vocação

A recompensa pelo trabalho feito com a alma

"Sem trabalho, toda vida apodrece, mas quando o trabalho é desprovido de alma, a vida sufoca e morre", escreveu Albert Camus. Encontrar um trabalho que tenha alma tornou-se uma das grandes aspirações da nossa época. Apesar de a escola de pensamento do "sorria e aguente" ainda ter seus seguidores, há um movimento crescente de pessoas no mundo ocidental e em outros países que esperam mais de seus trabalhos, que procuram atividades que reflitam quem são e que os façam se sentir mais humanos. Quem quiser aderir a esse movimento e ser bem-sucedido na busca por uma carreira que enriqueça suas vidas precisa considerar duas questões finais.

Neste livro, tentei destilar a essência de uma carreira realizadora e descobri que existem três ingredientes fundamentais: sentido, fluxo e liberdade. As pessoas realizadas têm alguma combinação dos três, e também desconfiam da submissão excessiva ao desejo por dinheiro ou status. No entanto, mesmo quem tem os três elementos presentes em sua vida profissional pode achar que há uma recompensa maior, algo que poderíamos considerar o Santo Graal do trabalho dotado de alma: uma carreira que não seja apenas fonte de realização, mas que também seja percebida como um "chamado" ou "vocação". Isso levanta a primeira pergunta: como podemos descobrir a nossa verdadeira vocação na vida?

Existe ainda outra questão não resolvida, que diz respeito à forma como completamos a transferência do nosso ideal de realização à realidade de uma nova carreira. Agora já conhecemos os fundamentos desse processo. Uma vez que reduzimos as opções para uma série de trabalhos que expressam os nossos múltiplos eus, precisamos testá-las com o período sabático radical, com projetos de ramificação e por meio de pesquisas conversacionais. Precisamos adotar a filosofia revolucionária de "agir agora, refletir mais tarde", e nos tornar o que Leonardo da Vinci chamou de *discepolo di esperienza*, um discípulo da experiência.

No entanto, mesmo seguindo essa via experimental e identificando uma carreira potencialmente realizadora, ainda podemos ficar paralisados pela indecisão, pelo medo de dar esse derradeiro — e inevitável — passo rumo ao desconhecido que nos permitirá romper com o passado e nos reinventar. Assim, surge a segunda pergunta: como podemos superar esse obstáculo à mudança?

Para responder a essas duas questões, devemos viajar primeiro para um laboratório científico em Paris e depois para uma pequena ilha no litoral da Grécia.

Marie Curie e o sentido da vida

Nas minhas aulas, frequentemente ouço as pessoas se lamentando por estarem "ainda à procura de sua vocação" e invejando os que "encontraram sua verdadeira vocação". O que elas parecem estar procurando é uma carreira que ofereça um sentido abrangente de missão ou propósito. A busca, no entanto, quase certamente será malsucedida. Não porque não existam vocações. Mas porque temos que perceber que a vocação não é algo que *encontramos*, mas sim algo que *cultivamos* — e no qual nos transformamos. Antes de revelar o segredo de como cultivarmos a nossa, é preciso deixar claro o que uma vocação realmente significa e por que ela é importante.

É comum pensar em uma vocação como uma carreira que, de alguma maneira, sentimos ter "nascido para seguir". Prefiro uma definição diferente, mais próxima das origens históricas do conceito: uma vocação é uma carreira que, além de realização — sentido, fluxo, liberdade —, também inclui uma meta definida ou um propósito claro pelos quais batalhar, que dirigem as nossas vidas e nos motivam a levantar da cama de manhã. A meta ou o propósito de um médico pesquisador pode ser descobrir a cura para uma doença neuromotora; para um ambientalista, a disseminação de um ideal de vida com baixa produção de carbono; para um pintor, romper com as tradições convencionais e substituí-las por uma nova visão dos objetivos da arte. Você não precisa se preocupar nem um pouco caso não sinta que possui uma vocação. Apesar de serem relativamente raras, com a abordagem correta é bem possível que uma vocação surja em sua vida.

Uma das descobertas mais importantes da história do pensamento ocidental é que ter esse tipo de meta ou propósito a alcançar é uma das rotas mais certeiras para uma vida profundamente satisfatória. Na verdade, se há uma resposta à pergunta sobre o sentido da vida, essa é uma possibilidade de peso. Aristóteles foi o primeiro pensador a reconhecer isso explicitamente ao escrever que cada pessoa deve ter "algum objetivo para o qual dirigir sua boa vida [...] e todos os seus atos serão conduzidos a ele, uma vez que não ter a vida organizada em função de um determinado fim é um sinal de grande tolice".[86]

A ideia de possuir uma meta significativa reapareceu no conceito protestante do século XVI de um "chamado". Tratava-se da crença de que cada um de nós deveria seguir o caminho preordenado, ou o "chamado", determinado por Deus: assim, um fazendeiro deve cultivar os campos com a máxima dedicação, e um magistrado deve dedicar-se completamente à sua profissão. Dessa forma, escreveu o teólogo João Calvino, em 1536, isso nos pouparia das "grandes inquietações" que sentimos com frequência e impediria que nossas vidas ficassem "de pernas para o ar".[87] A visão de Calvino refletia as rígidas hierarquias sociais de seu tempo — era preciso que as pessoas se sentissem satisfeitas com o meio no qual tinham nascido —, portanto, azar o seu se por acaso nascesse um servo. Mas, subjacente a isso, estava o objetivo de cumprir o mandamento de Deus sobre a terra.

O filósofo alemão Friedrich Nietzsche também enfatizou, de maneira semelhante, os efeitos benéficos de termos uma missão pela qual nos guiar: "Aquele que vive seguindo um *porquê* pode suportar qualquer *como.*" Esse pensamento encontrou seu caminho para fora da filosofia e foi incorporado pela psicologia do século XX. Nos anos 1940, o psicoterapeuta austríaco Victor Frankl sugeriu que "O que o homem realmente precisa não é ficar em estado de repouso, mas sim se esforçar e batalhar por alguma meta que seja suficientemente boa para ele". Cada um de nós deve buscar uma "tarefa concreta", que seja nossa "vocação específica ou missão na vida".[88] Essa longa tradição do pensamento reflete-se hoje nos escritos do psicólogo Mihaly Csikszentmihalyi, que acredita que "seja de onde vier, uma proposta unificada é o que dá sentido à vida". O que as pessoas precisam é de "uma meta que, como um campo magnético, atraia sua energia psíquica, uma meta diante da qual dependam todas as outras".[89] Aristóteles teria concordado totalmente.

Vamos deixar a teoria de lado por um momento e examinar as realidades de uma vida de trabalho direcionada por esse tipo de inspiração missionária: a carreira de Marie Curie, cuja meta primordial era descobrir os segredos da radiação.

Nascida em 1867, em uma família pobre de estudiosos poloneses, Marie Curie — conhecida então como Manya Sklodowska — era uma aluna de talento. Seu sonho era estudar medicina em Paris, mas a falta de fundos a impediu, então ela se viu condenada a trabalhar por cinco anos como governanta numa propriedade rural na Polônia, economizando cada centavo e estudando livros de matemática e anatomia sozinha, noite adentro. Finalmente, ao chegar a Paris em 1891, aos 24 anos, iniciou seus estudos médicos e gradualmente foi sendo atraída para a pesquisa em química e física, um interesse herdado, em parte, de seu pai.

Era o início de uma extraordinária e intensa vida dedicada à ciência, que se estendeu por quarenta anos. Curie normalmente trabalhava de 12 a 14 horas por dia, continuando em casa até as duas da manhã, após voltar do laboratório. Em 1897, com a colaboração do marido, Pierre, iniciou seu estudo da radiação, que um ano depois conduziu à descoberta de um elemento químico: o rádio. A isso, seguiram-se mais quatro anos de trabalho em um velho galpão, para pesquisas adicionais sobre as propriedades do rádio, e a descoberta de um novo elemento, o polônio. Seu brilhantismo e dedicação foram recompensados com um prêmio Nobel de Física, em 1903, e outro, em Química, em 1911. Ela se tornou a primeira mulher da França a ser professora universitária e uma das cientistas mais famosas do mundo.

Curie era absolutamente dedicada à carreira. Viveu em estilo quase monástico nos primeiros anos em Paris, sobrevivendo por semanas à base de pão com manteiga e chá, o que a deixou anêmica e frequentemente desmaiando devido à fome. Ela ignorava a fama crescente e não tinha qualquer interesse em confortos materiais, preferindo morar numa casa praticamente sem móveis: status e dinheiro não significavam nada para ela. Quando um parente se ofereceu para comprar-lhe um vestido de casamento, ela disse: "Se você puder fazer a gentileza de me dar um, que seja prático e escuro, para que eu possa usá-lo depois quando estiver no laboratório."[90] Antes de morrer, em 1934, aos 67 anos, ela resumiu sua filosofia de trabalho. "A vida não é fácil para nenhum de nós", disse. "Mas e daí? Todos precisamos perseverar e, acima de tudo, confiar em nós mesmos. Precisamos acreditar que somos dotados para alguma coisa e que essa coisa deve ser obtida a qualquer preço."[91]

Que conclusões podemos tirar da carreira de Marie Curie? Certamente, tinha todas as qualidades de uma vocação. Seu trabalho oferecia os elementos fundamentais do sentido: fazia uso de seus talentos intelectuais, incorporava sua grande paixão pela ciência e permitia que ela se sentisse fazendo a diferença — especialmente pelos usos potenciais da radioterapia para o tratamento do câncer. Mas ela também tinha aquele senso aristotélico de propósito, incorporado à meta, ou "tarefa concreta", de fazer descobertas sobre a natureza da radiação.

Um ponto mais importante refere-se à verdadeira origem desta meta. O que todas as pessoas com carreiras estagnadas realmente querem saber é "Como encontrar uma vocação?". E a resposta que surge a partir da experiência de Marie Curie é que as vocações não são encontradas, mas sim germinam e se transformam em vocações.

Há uma suposição comum — e equivocada — de que uma vocação normalmente surge para a pessoa num momento iluminado, como uma epifania. Estamos deitados na cama e, subitamente, sabemos exatamente o que devemos fazer de nossas vidas. Como se fosse a voz de Deus nos chamando: "Levanta-te e escreva livros de culinária chinesa!" Alternativamente, nos submetemos a um processo de intensa autorreflexão, e, em algum momento, isso deveria nos dar uma luz sobre o nosso futuro: "Minha missão na vida é criar um santuário para lontras!" É um pensamento irresistível que, na verdade, afasta a responsabilidade de nossos ombros: alguém, ou alguma coisa, nos dirá o que fazer das nossas vidas.

Mas Marie Curie jamais viveu um tal momento milagroso de revelação para saber que deveria dedicar a vida a pesquisar as propriedades dos materiais radioativos. O que realmente aconteceu foi que seu objetivo cresceu silenciosamente em seu íntimo ao longo dos anos de contínua pesquisa científica. Após o desejo inicial de se tornar médica, assim como sua irmã mais velha, ela foi pesquisar a magnetização do aço temperado. Só foi começar a estudar os raios do urânio aos 30 anos, para sua tese de doutorado, a partir dos trabalhos de Henri Becquerel. Após sua descoberta do rádio, vários anos de experiências se seguiram para comprovar sua existência para um incrédulo *establishment* científico.[92] Sua obsessão evoluiu em estágios, sem qualquer alto-falante do céu anunciando um chamado.

Esta é a maneira como a coisa normalmente acontece: apesar de as pessoas ocasionalmente vivenciarem epifanias explosivas, o mais comum é que uma vocação se cristalize lentamente, quase sem que a pessoa se dê conta.[93]

Portanto, não existe nenhum grande mistério por trás disso tudo. Se quisermos um emprego que também seja uma vocação, não devemos ficar esperando passivamente para que ele apareça do nada diante de nós. Em vez disso, devemos agir e nos empenhar para cultivar a ideia, assim como fez Marie Curie. Como? Simplesmente nos dedicando ao trabalho que nos proporcione a mais profunda realização através de sentido, fluxo e liberdade (ainda que um dia de 14 horas possa ser um pouco demais). Ao longo do tempo, uma meta tangível e inspiradora pode germinar silenciosamente, crescer e, por fim, desabrochar cheia de vida.

Uma mensagem de Zorba

Muitas pessoas congelam no momento final de fazer uma mudança de carreira. Passaram meses pensando sobre as opções, talvez tenham realizado alguns projetos de ramificação, passaram pela pesquisa conversacional e, por fim, descobriram qual seria a melhor escolha. E então ficam paralisadas diante do medo. As dúvidas começam a tomar conta de suas mentes. E se eu tiver cometido um erro terrível e o trabalho acabar se revelando um desastre em vez de uma fonte de realização? Não seria mais seguro simplesmente voltar atrás antes de pedir demissão e esperar até ter certeza absoluta de que encontrei a carreira certa?

Marie Curie não encontrou uma vocação, mas cultivou-a.

Esse tipo de ansiedade é perfeitamente normal. Não há como escapar do fato de que, no fim das contas, mudar de carreira é um risco. É um caminho repleto de incertezas e dúvidas, independentemente de quanto nos preparemos.

Como podemos dar o definitivo salto no escuro?

Durante as pesquisas para este livro, fiz essa pergunta para muitas pessoas. E todas responderam de maneira parecida. Sameera Khan, que desistiu do emprego em horário integral como advogada corporativa e trabalha agora para empresas sociais como advogada autônoma, contou o que aprendeu com sua experiência:

> Conversei com uma orientadora de carreiras incrível. Não conseguia acreditar que estava indo me consultar com uma especialista, era constrangedor admitir isso não só para os amigos, mas para mim também. Umas duas sessões depois, ela disse: "Bem, você sabe que precisa largar o emprego, do contrário, estará presa a este desespero para sempre. Depois que você sair de lá, parte dessa incerteza vai sumir. Portanto, precisamos marcar uma data." Definimos então o dia 1º de julho, e estávamos em meados de maio! Eu disse que estava muito perto, e ela respondeu: "Se não for assim, você não vai conseguir sair." E é claro que eu não conseguiria. Então realmente saí no dia 1º de julho. Quando você quer largar um emprego, tem que simplesmente sair e não olhar para trás.

De fato, a verdade inconveniente é que chega um ponto em que você precisa parar de pensar e simplesmente agir. Este é um dos mais antigos e sábios conselhos para a arte de viver, assim como a ideia de ter um propósito claro na vida, que foi articulada de diversas maneiras ao longo dos séculos. Sua expressão mais famosa na cultura ocidental aparece nas *Odes*, do poeta romano Horácio: *carpe diem*, aconselhava ele, aproveite o dia antes que o seu tempo acabe. Segundo a tradição rabínica, há um ditado atribuído ao sábio Hillel, o Velho: "Se não for agora, quando?" O filósofo dinamarquês Søren Kierkegaard nos deu a ideia do "salto da fé". Para uma versão literária, experimente o romance *Middlemarch*, de George Eliot: "Eu não me arrastaria pelo litoral, mas remaria mar adentro, seguindo as estrelas."

A ubiquidade desse ideal revela um espírito aventureiro na humanidade, deflagrado pelo conhecimento de que a vida é preciosamente curta e que, para a aproveitarmos ao máximo — e "sugar todo o tutano da vida", nas palavras de Thoreau —, não temos outra escolha a não ser assumir os riscos que acenam com uma existência mais profunda e vibrante.

Sem sombra de dúvida, existem caminhos que facilitam os passos finais para a mudança. Assegurando uma rede de proteção financeira — talvez economizando durante alguns meses —, podemos acalmar os temores do empobrecimento, caso o novo trabalho não dê certo. Também podemos confiar no poder das declarações públicas: abertamente contando aos amigos e familiares que estamos prestes a trocar de carreira, podemos começar a mudar nossas próprias expectativas e reunir mais coragem para agir. E não se esqueça do poder da palavra escrita: experimente escrever seu obituário. Imagine-se no futuro, olhando sua vida em retrospectiva, e escreva a história do que você fez ou do que esperava ter feito. Cabe a você decidir se, aos 36 anos, largou ou não o emprego na área financeira para trabalhar no teatro comunitário local, ou se escolheu se transformar num realizador amplo independente. Escrever seu obituário é uma maneira surpreendentemente eficaz de evitar o sentimento corrosivo de arrependimento de que você não levou sua vida a novas direções quando teve a chance.

Há uma última forma de romper com o passado e iniciar um novo estágio em sua carreira, que é seguir alguns conselhos que aparecem no final do filme *Zorba, o grego*, de 1964.

Zorba, o grande amante da vida, está sentado na praia com o reprimido e erudito Basil, um inglês que foi para uma minúscula ilha grega com a intenção de abrir um pequeno negócio. No primeiro teste, o elaborado sistema de cabos que Zorba havia construído para Basil trazer madeira da encosta de uma montanha acabara de se romper. Todo o empreendimento estava em ruínas, um fracasso antes mesmo de começar. E é nesse momento que Zorba revela sua filosofia de vida para Basil:

> ZORBA: Pelo amor de Deus, chefe, gosto muito de você e não posso deixar de falar. Você tem tudo, menos uma coisa: loucura! Um homem precisa de certa loucura, senão...
>
> BASIL: Senão o quê?
>
> ZORBA: ... ele nunca vai ter coragem de cortar a corda e se libertar.

Basil então se levanta e, fugindo completamente de seus padrões, pede a Zorba que o ensine a dançar. O inglês finalmente aprendeu que a vida deve ser vivida com paixão, que os riscos estão aí para serem enfrentados, que precisamos aproveitar cada dia. Agir de outro modo é prestar um desserviço à própria vida.

As palavras de Zorba são uma das maiores mensagens para a busca humana pela boa vida. A maioria de nós vive presa aos nossos temores e inibições. Mas se quisermos ir além, cortar a corda e ser livres, precisamos tratar a vida como um experimento e descobrir a parcela de loucura que todos guardamos dentro de nós.

Você está pronto para dar o último passo rumo à liberdade?

Dever de casa

Se você estiver ávido por mais ideias sobre a arte de trabalhar, os seguintes livros, filmes e sites vão saciar sua vontade. Todos eles, de formas distintas, ajudaram a inspirar os pensamentos que aparecem neste livro.

1. A era da realização

Um bom ponto de partida para explorar as possibilidades de uma carreira realizadora é a extraordinária história oral *Working* [Trabalhando], de Studs Terkel (Pantheon Books, 1974), na qual trabalhadores comuns, de caixas de banco a barbeiros, falam sobre o significado de seus trabalhos. Aproveite também a leitura de *O que devo fazer da minha vida?*, de Po Bronson (Nova Fronteira, 2004), uma compilação de histórias reais que descrevem os desafios e medos envolvidos em uma mudança de carreira. *Salesman* (1968) é um documentário instigante sobre quatro vendedores que, de porta em porta, tentam vender Bíblias caras para famílias de baixa renda dos Estados Unidos. A forma como lidam com a rejeição constante, a saudade de casa e a fadiga é uma lição para qualquer um que esteja em busca de um trabalho realizador.

2. Uma breve história da confusão profissional

Sobre história do trabalho, o melhor panorama é apresentado por Richard Donkin em seu *Sangue, suor e lágrimas* (M.Books, 2003). O incrível *Uma história íntima da humanidade*, de Theodore Zeldin (BestBolso, 2008), é uma história de relacionamentos humanos que começa em tempos remotos e passa por todas as culturas, mostrando como o passado moldou a forma de encararmos o trabalho e outras áreas da vida, tais como o amor e o tempo. *O paradoxo da escolha* (Girafa, 2007), escrito pelo psicólogo Barry Schwartz, oferece reflexões úteis sobre por que ficamos tão confusos quanto à escolha profissional. Uma perspicaz e sábia palestra do filósofo Alain de Botton sobre as ideias culturais que herdamos de sucesso e fracasso, apresentada na feira de tecnologia TED, pode ser vista no seguinte endereço: www.ted.com/talks/lang/eng/alain_de_botton_a_kinder_gentler_philosophy_of_success.html. Para uma análise da classificação tipológica de Myers-Briggs, leia o artigo "Measuring the MBTI... And Coming Up Short", de David Pittenger [Medindo o MBTI... Sem sucesso], em www.indiana.edu/~jobtalk/articles/ develop/mbti.pdf.

3. Dando sentido ao trabalho

A tentação de um alto salário é analisada por Oliver James em seu *Affluenza* (Vermillion, 2008), no qual defende que damos um valor excessivamente alto à aquisição de dinheiro e de posses e ao desejo de parecermos bem aos olhos dos outros. O filme *Wall Street* (1987), de Oliver Stone, vai mais fundo neste tema com a parábola de Gordon Gekko, um especulador corporativo dos anos 1980. As tentativas de

Anita Roddick de levar sua ética ao ambiente de trabalho aparecem em sua autobiografia, *Meu jeito de fazer negócios* (Negócio Editora, 2002). Se você tem interesse em cultivar seus talentos e em tentar ser um realizador amplo ao invés de um realizador específico, adquira um exemplar da biografia *Leonardo da Vinci: O voo da mente*, de Charles Nicholl (Bertrand Editora, 2006).

4. Aja primeiro, reflita depois

A psicologia e a sociologia do risco são discutidas por Richard Sennett em *A corrosão do caráter* (Record, 2004), uma bela e profunda meditação escrita sobre o trabalho moderno. Em *Identidade de carreira* (Gente, 2009), Herminia Ibarra, professora de comportamento organizacional, traça princípios para a reinvenção profissional, desconstruindo diversos mitos sobre a mudança de carreira. Fundamentado na análise de estudos de caso, esse é um dos melhores livros acadêmicos sobre como encontrar um trabalho realizador. Dos numerosos trabalhos do psicólogo Mihaly Csikszentmihalyi sobre a experiência de fluxo, o melhor é *Flow: The Classic Work on How to Achieve Happiness* [Fluxo: o clássico trabalho sobre como alcançar a felicidade] (Rider, 2002). O filme *Beleza americana* (1999) examina uma família cujos membros decidem mudar radicalmente de vida, incluindo um pai que larga sua carreira em publicidade para buscar uma existência mais significativa. O escritor político George Monbiot oferece conselhos atemporais e inspiradores sobre como fazer escolhas profissionais no seguinte endereço: www.monbiot.com/archives/2000/06/09/choose-life/.

5. O anseio por liberdade

Anarchy in Action [Anarquia em ação], de Colin Ward (Freedom Press, 1973), é o livro fundamental para aqueles em busca de mais liberdade na vida profissional. *Screw Work, Let's Play* [Dane-se o trabalho, vamos brincar], de John Williams (Pearson Business, 2010), oferece dicas úteis e práticas sobre como ser bem-sucedido no mundo freelance. Uma das melhores formas de você se desligar da ética do trabalho é lendo o ensaio *O elogio ao ócio*, de Bertrand Russell (Sextante, 2002). Em *Walden* (L&PM Editores, 2010), Henry David Thoreau, um naturalista do século XIX, oferece uma visão poética e fascinante da vida simples, enquanto um programa para transformá-la em realidade pode ser visto em *Dinheiro e vida*, de Joe Dominguez e Vicki Robin (Cultrix, 2007). *A história do mundo pela mulher*, de Rosalind Miles (Casa Maria, 1989), e *O segundo sexo*, de Simone de Beauvoir (Nova Fronteira, 2009), uma das mais célebres obras feministas, destacam o papel das mulheres como trabalhadoras. As tensões entre aspirações profissionais e vida pessoal são expostas no emocionante *Kramer vs. Kramer* (1979).

6. Como cultivar uma vocação

Siga as descobertas científicas e a história da carreira de Marie Curie em *Madame Curie* (Cia. Editora Nacional, 1976), uma biografia escrita por sua filha, Eve Curie. Junte-se ao imortal Alexis Zorba (Anthony Quinn) e ao sério inglês Basil (Alan Bates) em uma isolada ilha da Grécia no filme *Zorba, o grego* (1964). Nele, Zorba ensina a Basil a arte de se arriscar e de seguir novos caminhos na vida profissional, e diz a famosa frase: "Um homem precisa de um pouco de loucura, senão nunca terá coragem de romper a corda e ser livre." Em meu livro *The Wonderbox: Curious Histories of How to Live* [Caixa de surpresas: histórias curiosas sobre como viver] (Profile Books, 2011), revelo o que a história pode nos ensinar no que se refere à descoberta de um trabalho que amamos e a uma atitude mais aventureira na tomada de decisões, tanto em nossas carreiras como em outras áreas da vida cotidiana.

Uma bibliografia abrangente está disponível on-line em: www.panmacmillan.com/theschooloflife.

Notas

1. *A era da realização*

1 Thomas, Keith, *The Ends of Life: Roads to Fulfilment in Early Modern England*, Oxford: Oxford University Press, 2009, p. 8.

2 http://www.opp.eu.com/SiteCollectionDocuments/pdfs/dream-research.pdf; http://news.bbc.co.uk/1/hi/world/americas/8440630.stm.

3 http://www.statistics.gov.uk/articles/labour market trends/jobmobility nov03.pdf, p. 543.

4 Svendsen, Lars, *Work*, Stocksfield: Acumen, 2008, p. 5.

5 Batchelor, Stephen, *Buddhism Without Beliefs: A Contemporary Guide to Awakening*, Londres: Bloomsbury, 1998, p. 25.

6 Burckhardt, Jacob, *The Civilization of the Renaissance in Italy*, Oxford e Londres: Phaidon, 1945, p. 81; Greenblatt, Stephen, *Renaissance Self-Fashioning: From More to Shakespeare*, Chicago: University of Chicago Press, 2005, p. 2; Krznaric, Roman, *The First Beautiful Game: Stories of Obsession in Real Tennis*, Oxford: Ronaldson Publications, 2006, cap. 11.

2. *Uma breve história da confusão profissional*

7 http://www.careerplanner.com/ListOfCareers.cfm.

8 Franklin, Benjamin, *Autobiography and Other Writings*, Oxford: Oxford University Press, 1998, p. 9-14.

9 Marx, Karl, *The Marxist Reader*, Emile Burns (org.), Nova York: Avenel Books, 1982, p. 273-4.
10 Miles, Rosalind, *The Women's History of the World*, Londres: Paladin, 1989, p. 191.
11 Hobsbawn, Eric, *The Age of Revolution 1789-1848*, Nova York: Vintage, 1996, p. 189-94.
12 http://www.bls.gov/mlr/1999/12/art1full.pdf; http://www.voxeu.org.index/php?q=node/3946.
13 Miles, Rosalind, *The Women's History of the World*, p. 271.
14 Schwartz, Barry, *The Paradox of Choice: Why Less Is More*, Nova York: Harper Perennial, 2005, p. 2, 9-10, 221.
15 Ibid., p. 9-10, 24-5; http://www.ted.com/talks/barry_schwartz_on_the paradox_of_choice.html.
16 Ibid., p. 118-9, 140-1.
17 Ibid., p. 221-7.
18 http://www.cambridgeassessment.org.uk.
19 http://world-countries.net/archives/2218.
20 Schwartz, Barry, *The Paradox of Choice: Why Less Is More*, p. 72-3.
21 Ibid., p. 149-50.
22 Pope, Mark, "A Brief History of Career Counselling in the United States", *The Career Development Quarterly*, vol. 48, nº 3, 2000, p. 196.
23 Parsons, Frank, *Choosing a Vocation*, Boston, Houghton Mifflin, 1909, p. 21-2, 27-31.
24 Ibid., p. 133-6.
25 Hershenson, David B., "A Head of Its Time: Career Counselling's Roots in Phrenology", *Career Development Quarterly*, vol. 57, nº 2, p. 181-90; Lindqvist, Sven, *The Skull Measurer's Mistake*, Nova York: New Press, 1997;

http://www.archive.org/stream/systemofphrenolooocombuoft#page/n7/mode/2up.

26 Bjork, Robert A. e Daniel Druckman, *In the Mind's Eye: Enhancing Human Performance*, Washington: National Academies Press, 1991, p. 99-100; Gregory, Robert J., *Psychological Testing: History, Principles, Applications*, 4ª ed., Boston: Pearson, p. 524; Hunsley, John, Catherine M. Lee e James M. Wood, "Controversial and Questionable Assessment Techniques", in Scott O. Lilienfield, Steven Jay Lynn e Jeffrey M. Lohr (orgs.), *Science and Pseudoscience in Clinical Psychology*, Nova York: The Guilford Press, 2003, p. 61-4; Boyle, Gregory, "Myers-Briggs Type Indicator (MBTI): Some Psychometric Limitations", *Bond University Humanities and Social Sciences Papers*, nº 26, 1995; McCrae, Robert and Paul Costa Jr., "Reinterpreting the Myers-Briggs Type Indicator From the Perspective of the Five-Factor Model of Personality", *Journal of Personality*, vol. 57, nº 1, p. 17-40.

27 Pittenger, David, "Cautionary Comments Regarding the Myers-Briggs Type Indicator", *Consulting Psychology Journal: Practice and Research*, vol. 57, nº 3, 2005, p. 214.

28 Ibid., Boyle, Gregory, "Myers-Briggs Type Indicator (MBTI): Some Psychometric Limitations", *Bond University Humanities and Social Sciences Papers*, nº 26.

29 Hunsley, John, Catherine M. Lee e James M. Wood, "Controversial and Questionable Assessment Techniques", in Scott O. Lilienfield, Steven Jay Lynn e Jeffrey M. Lohr (orgs.), *Science and Pseudoscience in Clinical Psychology*, p. 62; McCrae, Robert e Paul Costa Jr., "Reinterpreting the Myers-Briggs Type Indicator From the Perspective of the Five-Factor Model of Personality", *Journal of Personality*, vol. 57, nº 1, 1989, p. 20.

30 OPP Unlocking Potential, *MBTI Step 1 Question Book*, European English edn, Oxford: OPP, 1998, p. 1; OPP Unlocking Potential, *Introduction to Type and Careers*, European English edn., Oxford: OPP, 2000, p. 26.

31 Pittenger, David, "Measuring the MBTI... And Coming Up Short", *Journal of Career Planning and Placement*, vol. 54, p. 48-53; Pittenger, David, "Cautionary Comments Regarding the Myers-Briggs Type Indicator", *Consulting Psychology Journal: Practice and Research*, vol. 57, nº 3, p. 211, 217; comunicação pessoal com David Pittenger, 5/9/2011. Veja também Hunsley, John, Catherine M. Lee e James M. Wood, "Controversial and Questionable Assessment Techniques" in Scott O. Lilienfield, Steven Jay Lynn e Jeffrey M. Lohr (orgs.), *Science and Pseudoscience in Clinical Psychology*, p. 63; Bjork, Robert A. e Daniel Druckman, *In the Mind's Eye: Enhancing Human Performance*, p. 99-101.

32 Ibarra, Herminia, *Working Identity: Unconventional Strategies for Reinventing Your Career*, Boston: Harvard Business School Press, 2004, p. 35-7.

3. Dando sentido ao trabalho

33 Argyle, Michael, *The Social Psychology of Work*, Londres: Penguin, 1989, p. 99-101.

34 Layard, Richard, *Happiness: Lessons from a New Science*, Londres: Allen Lane, 2005, p. 32-3; para pesquisas mais recentes, visite: http://www.pnas.org/content/107/38/16489.fullpdf+html?sid=aac48a0b-d009-4ce6-8c14-7f97c5310e15.

35 Seligman, Martin, *Authentic Happiness: Using the New Positive Psychology to Realize Your Potential for Lasting Fulfillment*, Nicholas Brealey,

2002, p. 49; James, Oliver, *Affluenza: How to be Successful and Stay Sane*, Londres: Vermillion, 2007, p. 52.

36 Gerhardt, Sue, *The Selfish Society: How We All Forgot to Love One Another and Made Money Instead*, Londres: Simon & Schuster, 2010, p. 32-3.

37 http://www.guardian.co.uk/money/2011/jul/15/happiness-work-why-counts; http://www.theworkfoundation.com/assets/docs/publications/162newworkgoodwork.pdf.

38 Schwartz, Barry, *The Paradox of Choice: Why Less Is More*, p. 190.

39 Rousseau, Jean-Jacques, *A Discourse Upon The Origin And The Foundation Of The Inequality Among Mankind*, 1754, http://www.gutenberg.org/files/11136/11136.txt.

40 Lewis, Clive Staples, "The Inner Ring", 1944, http://www.lewissociety.org/innerring.php.

41 Sennett, Richard, *The Corrosion of Character: The Personal Consequences of Work in the New Capitalism*, Nova York: Norton, 2003, p. 3.

42 Arendt, Hannah, *The Human Condition*, Chicago: University of Chicago Press, 1989, p. 18-9; Csikszentmihalyi, Mihaly, *Flow: The Classic Work on How to Achieve Happiness*, Londres: Rider, 2002, p. 218.

43 Gardner, Howard Mihaly Csikszentmihalyi e William Damon, *Good Work: When Excellence and Ethics Meet*, Nova York: Basic Books, 2001, p. ix, 5.

44 Singer, Peter, *How Are We To Live? Ethics in an Age of Self-interest*, Oxford: Oxford University Press, 1997, p. 255-8.

45 Roddick, Anita, *Business As Unusual: My Entrepreneurial Journey, Profits With Principles*, Chichester: Anita Roddick Books, 2005, p. 37.

46 Ibid., p. 83, 96, 122, 157, 179, 205.

47 http://www.satyamag.com/jan05/roddick.html.

48 Roddick, Anita, *Business As Unusual: My Entrepreneurial Journey, Profits With Principles*, p. 18, 92, 246.

49 Krznaric, Roman, *The First Beautiful Game: Stories of Obsession in Real Tennis*, p. 72-84.

50 Citado in Williams, John, *Screw Work, Let's Play: How to do what you love and get paid for it*, Harlow: Prentice Hall, 2010, p. 3.

51 Saul, John Ralston, *Voltaire's Bastards: The Dictatorship of Reason in the West*, Londres: Sinclair Stevenson, 1992, p. 474; Zeldin, Theodore, An Intimate History of Humanity, Londres: Minerva, 1995, p. 197-8.

52 Csikszentmihalyi, Mihaly, *Flow: The Classic Work on How to Achieve Happiness*, p. 155.

53 Ibarra, Herminia, *Working Identity: Unconventional Strategies for Reinventing Your Career*, p. xi.

54 Citado in Nicholl, Charles, *Leonardo da Vinci: The Flights of the Mind*, Londres: Penguin, 2005, p. 7.

55 Cameron, Julia, *The Artist's Way: A Course in Discovering and Recovering Your Creative Self*, Londres: Pan, 1995, p.39; Williams, John, *Screw Work, Let's Play: How to do what you love and get paid for it*, p. 37.

4. *Aja primeiro, reflita depois*

56 http://www.opp.eu.com/SiteCollectionDocuments/pdfs/dream-research.pdf.

57 Citado in Sennett, Richard, *The Corrosion of Character: The Personal Consequences of Work in the New Capitalism*, p. 82.

58 Seligman, Martin, *Authentic Happiness: Using the New Positive Psychology to Realize Your Potential for Lasting Fulfillment*, p. 30-1;

Csikszentmihalyi, Mihaly, *Flow: The Classic Work on How to Achieve Happiness*, p. 169. Agradecimentos especiais a Rob Archer por me ajudar a pensar sobre isso.

59 Ibarra, Herminia, *Working Identity: Unconventional Strategies for Reinventing Your Career*, p. xii, 16, 18, 91.

60 Ibid., p. 45.

61 Ibid., p. 113-20.

62 Csikszentmihalyi, Mihaly, *Beyond Boredom and Anxiety: Experiencing Flow in Work and Play*, São Francisco: Jossey-Bass, 2000, pp.35-36, 132, 137; Csikszentmihalyi, Mihaly, *Flow: The Classic Work on How to Achieve Happiness*, p. 4.

63 Ibid., p. 48-67.

64 Ibid., p. 152.

5. *O anseio por liberdade*

65 Schumacher, E. F., *Good Work*, Londres: Abacus, 1980, p. 50.

66 http://www.theworkfoundation.com/assets/docs/publications/162 newwork goodwo rk.pdf, p. 29.

67 Fromm, Erich, *Fear of Freedom*, Londres: Routledge, 1960, p. 19-20, 85.

68 Ward, Colin, *Anarchism: A Very Short Introduction*, Oxford: Oxford University Press, 2004, p. 49; http://www.guardian.co.uk/money/2011/jul/15/happiness-work- why-counts.

69 Ward, Colin, *Anarchy in Action*, Londres: Freedom Press, 1996, p. 94-5.

70 <http://www.fsb.org.uk/policy/images/2011%2004%20self%20 employment%20one%20page%20briefing.pdf>; <http://www.theworkfoundation.com/assets/docs/publications/145JoyofWork.pdf>, p. 14.

71 Williams, John, *Screw Work, Let's Play: How to do what you love and get paid for it*, p. 1.

72 http://www.thedailybeast.com/newsweek/2008/05/21/my-ebay-job.html.

73 Krakauer, Jon, *Into the Wild*, Londres: Pan Books, 2007.

74 http://www.guardian.co.uk/money/2000/oct/01/workandcareers.madeleinebunting2.

75 Robinson, Bryan, *Chained to the Desk: A Guidebook for Workaholics, Their Partners and Children, and the Clinicians Who Treat Them*, Nova York: New York University Press, 2001.

76 Russell, Bertrand, *In Praise of Idleness and Other Essays*, Londres: Unwin, 1976.

77 http://www.workfoundation.com/assets/docs/publications/177About%20time%20for%20change.pdf, p. 5-6.

78 Lerner, Steve, *Eco-Pioneers: Practical Visionaries Solving Today's Environmental Problems*, Boston: MIT Press, 1998, p. 71-2; Dominguez, Joe e Vicki Robin, *Your Money or Your Life: Transforming Your Relationship with Money and Achieving Financial Independence*, Nova York: Penguin, 1999.

79 De Beauvoir, Simone, *The Second Sex*, Harmondsworth: Penguin, 1972, p. 689- 90, 703.

80 Nicolson, Paula, *Having It All? Choices for Today's Superwoman*, Chichester: John Wiley, 2002, p. 19, 155.

81 http://www.stayathomedads.co.uk/news.html.

82 http://www.guardian.co.uk/money/2011/jul/19/norway-dads-peternity-leave-chemin.

83 Citado in Nicolson, Paula, *Having It All? Choices for Today's Superwoman*, Nicolson, p. 12-3

84 Ibid., p. 140, 142.

85 Folbre, Nancy, *Who Pays for the Kids? Gender and the Structures of Constraint*, Londres: Routledge, 1994, p. 2-3; http://www.legalandgeneralgroup.com/media-centre/press-releases/2011/group-news-release-876.html; http://www.sociology.leeds.ac.uk/assets/files/research/circle/valuing-carers.pdf.

6. *Como cultivar uma vocação*

86 Citado in Thomas, Keith, *The Ends of Life: Roads to Fulfilment in Early Modern England*, p. vii.

87 Citado in Meilaender, Gilbert C., *Working: Its Meaning and Its Limits*, Notre Dame: University of Notre Dame Press, 2000, p. 107.

88 Frankl, Victor, *Man's Search for Meaning: An Introduction to Logotherapy*, Londres: Hodder and Stoughton, 1987, p. 107, 110.

89 Csikszentmihalyi, Mihaly, *Flow: The Classic Work on How to Achieve Happiness*, p. 217-8.

90 Curie, Eve, *Madam Curie*, Londres: William Heinemann, 1938, p. 134.

91 Ibid., p 113.

92 Ibid., p. 150-1, 162-3.

93 Bronson, Po, *What Should I Do With My Life: The True Story of People Who Answered the Ultimate Question*, Londres: Vintage, 2004, p. 291-2

Agradecimentos

Foi um grande prazer trabalhar com Alain de Botton, o editor da coleção, que deu ideias e conselhos excelentes durante toda a criação deste livro. Obrigado a Liz Gough, Dusty Miller, Tania Adams, Katie James, Kate Hewson e a todos da Pan Macmillan por todo o suporte e estímulo. Minha agente, Margaret Hanbury, me deu um apoio enorme, como sempre, me aconselhando com sabedoria e inventividade, assim como Henry de Rougemont, da agência Hanbury.

As origens do meu interesse pelo trabalho remontam aos anos em que atuei junto com o historiador e pensador Theodore Zeldin, da fundação The Oxford Muse, que me permitiram conversar com pessoas de várias origens sobre seus esforços para encontrar carreiras realizadoras, de trabalhadores de armazéns a presidentes de empresas, de *pole dancers* a monges budistas. Mais tarde, fui motivado pelo envolvimento com a School of Life, onde leciono e cujos cursos sobre trabalho ajudei a desenvolver. Obrigado a todos de lá, incluindo Morgwn Rimel, Caroline Brimmer, Harriet Warden e Mark Brickman, e Sophie Howarth, a fundadora. Minhas ideias também foram beneficiadas pelas conversas com os amigos do grupo de política relacional, em Oxford: Sue Gerhardt, Adam Swift, Jean Knox, Sarah Stewart-Brown e Sue Weaver. Obrigado também a David Pittenger, da Universidade de Marshall.

Não teria escrito este livro sem as pessoas de vários países que compartilharam as histórias de suas carreiras comigo. Aprendi muito com suas experiências e percepções. São elas: Amanda Beckles, Andy Bell, Andy Kwok, Annalise Moser, Anne Marie Graham, Brian Campbell, Cathy O'Neil, Chris Dean, Clare Taylor, Esther Freeman, Fiona Robyn, Fiona Sanson, Flutra Qatja, George Marshall, Helena Fosh, Iain King, James Attlee, Jonty Olliff-Cooper, Karen Byrne, Karen Macmillan, Keira O'Mara, Kirsten Puls, Laura van Bouchout, Lee Rotbart, Lisa Brideau, Lisa Gormley, Meike Brunkhorst, Paula Ligo, Rob Archer, Rupert Denyer, Sam Lewis, Sameera Khan, Sarah Best, Sharon Harvey, Tom Burrough, Trevor Dean, Wayne Davies e Yvonne Braeunlich. Devo esclarecer que mudei o nome de algumas pessoas que menciono no texto.

Um agradecimento especial aos meus pais, Anna e Peter Krznaric, por todo o apoio durante a elaboração deste livro, aos meus filhos, Casimir e Siri, por aguentarem minhas ausências, e a Kate Raworth, por mais do que posso expressar em palavras.

Dedico este livro a outro livro, que tanto fez para moldar minha maneira de pensar sobre trabalho: A extraordinária história oral de Studs Terkel, *Working: People Talk About What They Do All Day and How They Feel About What They Do* (Trabalhando: pessoas falam sobre o que fazem o dia todo e como se sentem quanto ao que fazem).

Créditos das imagens

Fizemos todo o esforço possível para contatar os proprietários de direitos autorais do material reproduzido neste livro. Se algum tiver sido inadvertidamente ignorado, faremos a reparação imediatamente.

O trecho da página 54 foi retirado de *The Selfish Society*, de Sue Gerhardt [A sociedade egoísta] (Simon & Schuster/RCW Literary Agency, 2010); o trecho da página 113 foi retirado de *Good Work* [Bom trabalho], de E. F. Schumacher (Jonathan Cape, 1979), e reproduzido com o consentimento da Casa E. F. Schumacher; o trecho da página 116 foi retirado de *Anarchy in Action*, de Colin Ward [Anarquia em ação] (Freedom Press, 1973); o trecho da página 126 foi retirado de *O elogio ao ócio*, de Bertrand Russell (Sextante, 2002).

O autor e a editora gostariam de fazer os seguintes agradecimentos quanto à permissão das imagens utilizadas neste livro:

Página 19, artista de tecido aéreo © Thomas Barwick/Getty Images; página 31, menina na máquina de fiar © Corbis; página 42, charge de frenologia © Heritage Images/Corbis; página 65, Anita Roddick © The Roddick Foundation; página 75, *Homem Vitruviano*, de Leonardo da Vinci, fotografia © Garry Gay/Getty Images; página 107, Jackson Pollock trabalhando © Time & Life Pictures/Getty Images; página 157, Marie Curie © Time & Life Pictures/Getty Images; página 162, *Zorba, o grego* © Moviestore Collection Ltd/Alamy.

Todas as outras imagens foram cortesia do autor.

Anotações

Anotações

Se você gostou deste livro e quer ler mais sobre as grandes questões da vida, pode pesquisar sobre os outros livros da série em www.objetiva.com.br.

Se você gostaria de explorar ideias para seu dia a dia, THE SCHOOL OF LIFE oferece um programa regular de aulas, fins de semana, sermões seculares e eventos em Londres e em outras cidades do mundo. Visite www.theschooloflife.com

Como viver na era digital
Tom Chatfield

Como pensar mais sobre sexo
Alain de Botton

Como mudar o mundo
John-Paul Flintoff

Como se preocupar menos com dinheiro
John Armstrong

Como manter a mente sã
Philippa Perry

Como encontrar o trabalho da sua vida
Roman Krznaric